알기 쉬운 멘탈 힐링

케이트 앳킨슨 봄

MENTAL HEALING MADE PLAIN

By
Kate Atkinson Boehme

Washington, D. C.

National Publishing Company,

1902.

알기 쉬운 멘탈 힐링

발　행 | 2024년　06월　05일
저　자 | 케이트 앳킨슨 봄
펴낸이 | 한건희
펴낸곳 | 주식회사 부크크
출판사등록 | 2014.07.15.(제2014-16호)
주　소 | 서울특별시 금천구 가산디지털1로 119 SK트윈테크타워 A동 305호
전　화 | 1670-8316
이메일 | info@bookk.co.kr

ISBN | 979-11-410-8811-8

www.bookk.co.kr

목차

강의 I

자, 이제 당신이 멘탈 힐링(Mental Healing)에 대해 전혀 모르고 그것이 무엇이며 어떻게 작동하는지 물으려고 내게 왔다고 가정하겠습니다. 당신은 한 사람의 생각이 다른 사람의 몸에 어떻게 영향을 미칠 수 있는지는 이해할 수 없지만, 생각이 자신의 몸에 영향을 미친다는 것은 인정할 준비가 되어 있습니다. 당신은 그것에 대해서는 조금도 의심하지 않습니다. 당신은 당신의 손이 생각에 순종하여 움직이고, 신체의 모든 부분이 그렇게 움직인다는 것을 알고 있습니다. 이것은 오랫동안 지속되어왔고, 그것에 너무 익숙해져서 그저 단순한 사실처럼 보입니다.

그러나 그것은 실제로는 매우 복잡하고 신비로운 과정입니다. 그냥 당연한 것으로 받아들이는 것만으로는 설명되지 않습니다.

생각이란 무엇이며, 그것이 우리 몸의 신경과 근육에 작용하여 움직임을 만들어내야 할까요? 생각이 신경과 근육에 작용하는 것을 본 사람이 있을까요? 아무도 이 수수께끼를 설명할 수 없었지만 우리는 그것을 사실로 받아들입니다. 생리학자들이 그렇게 말하기 때문에 그렇게 하는 것일까요? 아니요, 우리는 우리 자신의 내적 경험을 통해 그것을 알고 있습니다.

예를 들어 테이블 위에 책이 있습니다. 책을 살펴보고 싶다는 생각이 듭니다.

나는 그 생각을 의식합니다. 그런 다음 나는 그것을 집어 들겠다고 생각하고, 그 생각도 의식합니다. 그런 다음 나는 그 책을 집어 들며, 그 책을 집어 든다는 것은 내가 그 책을 보고 싶다는 첫 번째 생각과 그 후에 내가 그 책을 볼 것이라는 생각의 결과라는 것을 알고 있거나 인식하고 있습니다.

나는 내 생각이 어떻게든 테이블을 향해 손을 뻗어 손가락이 책을 잡고 닫히게 한 다음 내 손이 책을 내 쪽으로 끌어당겼다는 것을 알고 있습니다. 수백 개의 신경과 근육이 작용했지만 어떻게 그런 일이 일어났는지 모르겠습니다. 근육이 어떻게 수축하고 팽창하는지 설명할 수도 있고, 몸 전체의 신경과 근육 네트워크가 생각에 의해 제어된다는 것을 알 수도 있지만, 그것이 어떻게 이루어지는지는 보지 못합니다.

그것은 미스터리로 남아 있을 것 같습니다. 하지만 그런 이유로 우리는 그것을 부정할까요?

전혀 아닙니다! 생각이 몸을 지배한다는 것, 즉 자신의 생각이 자신의 몸을 지배한다는 것을 인정하지 않는 사람은 아무도 없습니다.

그러므로 나는 당신이 그것을 인정할 것이라는 것을 당연하게 생각하지만, 한 걸음 더 나아가 내 생각이 당신의 몸에 영향을 미칠 수 있다는 사실을 받아들이라고 요청할 때, 당신이 믿을 수 없다는 얼굴로 고개를 흔들며 그것은 불가능하다고 말해도 놀라지 않습니다.

하지만 그런 일이 있었던 사례를 백 가지 정도 들 수 있다고 가정해 보겠습니다. 그래도 당신은 다시 고개를 절레절레 흔들며 우연이라고 말합니다.

나는 가능하다면 당신을 설득하기로 결심했습니다. 어떻게 하면 될까요? 나는 약물이나 다른 치료제에 기득권을 부여한 것보다 더 놀라운 치유력이 있다는 것을 증명하고 싶습니다. 세상의 모든 약물과 치료 기관은 당신에게 완벽한 건강을 제공하지 못했으며, 이 새로운 힘이 매일 세계의 문을 두드리는 이유도 그것입니다. 생각의 치유는 모든 사람에게 받아들여지지 않았고, 특히 가장 필요로 하는 사람들에 의해 거부되었습니다. 이는 과학적 관점에서 생각이 어떻게 치유를 일으킬 수 있는지 이해할 수 없었기 때문입니다.

치유 초기에는 생각으로 치유하고 있다는 사실을 깨닫는 것이 얼마나 어려웠는지 기억합니다. 생각은 너무나 가벼우면서도 만질 수 없는 것처럼 보였습니다. 생각이 어떻게 치유의 사명을 수행하는지 볼 수 없었고, 치유가 완료될 때까지 생각이 나아갔다는 증거가 없었습니다. 심지어 그때에도 치료를 시작했을 때 환자가 호전된 것은 우연이라고 생각했습니다. 많은 치유가 일어난 후에야 환자가 우연히 나았다는 생각을 버리게 되었습니다. 마침내 우연의 일치가 너무 많이 일어나 법칙이 작용하는 것처럼 보였고, 마침내 생각이 실제로 치유를 하고 있다는 것을 확신하게 되었습니다.

다른 사람에게 생각을 전달할 수 있다는 믿음은 종종 간단한 실험을 통해 강화되었습니다. 아마도 당신도 시도해 보았을 수 있습니다. 그렇지 않다면 해보시기를 바랍니다. 그만큼 중요하기 때문입니다. 친구 몇 명과 모여서 한 사람을 방 가운데에 서게 하십시오. 그에게 찾고자 하는 열쇠 또는 다른 물건을 보여준 다음 눈을 가리게 합니다. 그 사람을 둘러싸고 모두 열쇠가 있는 곳을 계속 생각하는 것입니다. 그러면 잠시 후 눈가리개를 한 사람은 느리고 불확실한 발걸음으로 열쇠를 향해 움직이기 시작하고 결국 열쇠를 찾게 될 것입니다.

눈가리개를 한 사람의 감각은 내가 경험했던 것과 같습니다. 처음에 내 마음은 완전히 비어있는 느낌이 들었습니다. 모든 생각이 사라지는 것 같았습니다. 몇 초 후 보이지 않는 손에 의해 특정 방향으로 밀려나는 것처럼 느꼈습니다. 내 몸이 그 방향으로 기울어져서 발을 내밀지 않았다면 넘어졌을 것입니다. 그런 다음 한 번 더 밀고 한 걸음 더 나아가서 열쇠가 놓인 의자에 점차 가까워졌습니다. 의자를 피하거나 돌아갈 수도 있었지만, 의자에 다다랐을 때 온몸의 긴장이 풀리고 한 손이 열쇠에 닿을 때까지 팔을 늘어뜨린 채로 의자 위로 늘어졌습니다. 또 다른 경우로, 열쇠가 벽에 매달려 있었고, 벽에 도달했을 때 한쪽 팔을 위로 뻗고 싶은 욕망을 느꼈습니다. 그렇게 했고 열쇠가 걸린 못을 만지게 되었습니다.

만약 그들 마음의 작용이 내 마음으로 향했더라면, 나는 열쇠의 위치에 대한 확실한 생각을 가질 수도 있었을 것입니다. 나는 아마도 '열쇠는 의자 위에 있다'거나 '열쇠는 벽에 매달려 있다'고 생각했을 것입니다. 하지만 그런 명확한 생각은 들지 않았습니다. 그것은 내가 설명할 수 없는 맹목적이고 본능적인 움직임처럼 보였습니다. 나는 왜인지 모르지만 그렇게 움직이게 되었습니다. 따라서 그 생각은 내 마음을 거치지 않고 내 몸에 직접 작용한 것처럼 보입니다. 하지만 생각이 먼저 마음을 통과했다면, 마음은 생각 전달의 사실을 확인했을 것입니다. 열쇠의 위치는 말없이 내 마음에 전달되었을 것이고, 생각 자체는 일반적인 언어 매개 없이 직접적으로 전달되었을 것입니다.

텔레파시 또는 생각 전달의 법칙은 이제 전 세계 과학자들에게 인정되고 있지만, 당신은 이것을 모르고 이 주제가 당신에게 완전히 새로운 주제라고 가정하겠습니다. 그렇다면 이 경우 간단한 실험을 해볼 수 있습니다. 시도해보고 자신을 설득하는 것은 쉽습니다. 왜냐하면 개인적인 경험은 확신을 얻는 데 큰 도움이 되기 때문이며, 실제로 경험 없이 확신은 쉽게 오지 않기 때문입니다.

파리에는 라 살페트리에르라는 대형 병원이 있습니다. 이곳은 가장 오래되고 큰 병원 중 하나이며, 면적이 74에이커에 달하고 40개의 큰 블록으로 구성되어 있습니다. 이 병원에서는 환자들을 거의 전적으로 생각의 힘으로 치료합니다. 그러나 그곳의 의사들은 그것을 멘탈 힐링이라고 부르지 않고, 최면 암시라고 부릅니다. 그러나 생각의 힘은 똑같이 작용합니다. 그들은 의사의 명성과 병원의 위상이 그 진술을 뒷받침하지 않았다면 거의 믿기 어려운 기괴한 일을 합니다.

최면 암시는 멘탈 힐링과 여러 면에서 다릅니다. 내가 언급할 한 가지는 다음과 같습니다. 최면 암시에서는 환자를 최면이라고 불리는 특이한 수면 상태로 만들어야 합니다. 멘탈 힐링에서 우리는 그것이 필수적이라고 생각하지 않습니다. 왜냐하면 우리는 그것이 비정상적이거나 부자연스러운 상태라고 믿고 가능한 한 피해야 한다고 보기 때문입니다.

하지만 최면 상태에 있는 이 환자들에게 무슨 일이 일어나는지 말씀드리겠습니다. 찬물 한 방울을 살에 떨어뜨리고 환자에게 그것이 끓는 기름이라고 말합니다. 그러면 물집이 생깁니다. 이것이 어떻게 되는 거라고 생각하시나요? 정말 신비롭죠? 하지만 명성 있는 병원에서 명성 있는 의사들이 하는 일이라 의심할 수는 없습니다.

그런 다음 이 의사들은 물집을 일으키는 약을 세 부분으로 나눕니다. 1, 2, 3입니다. 1번은 환자의 오른쪽 팔에, 2번은 왼쪽 팔에, 3번은 최면 상태에 있지 않은 사람의 팔에 붙입니다.

이 작업이 완료되면 의사는 1번은 물집이 생기지 않을 것이라고 말하고 2번 또는 3번에 대해서는 아무 말도 하지 않습니다. 그 결과 1번은 물집이 생기지 않습니다. 그들은 이것을 부정적 암시라고 부르며, 이는 물집을 일으키는 힘이 1번 물집을 일으키는 약에서 모두 제거되고 다른 두 부분, 2번과 3번에는 남아 있음을 의미합니다. 나는 물집을 일으키는 힘이 1번에서 제거된다고 말하지만, 환자의 피부가 1번에 대해 양성으로 작용했다고 말하는 것이 더 정확할 수도 있습니다. 물집을 일으키는 약은 환자의 피부에 대해 음성이 되어 효과를 나타내지 않습니다. 그러나 2번과 3번에서 나타나는 효과로 볼 때 훌륭하고 강한 물집을 일으키는 약임을 알 수 있습니다.

순수하고 차가운 물 한 방울을 격렬한 자극제로 만들거나, 물집을 우표처럼 무해한 것으로 만들 수 있다는 것은 정말 놀라운 힘입니다.

나는 라 살페트리에르뿐만 아니라 다른 병원과 많은 의사들이 개인 진료실에서 수행하는 다른 많은 흥미로운 실험에 대해 말씀드릴 수 있습니다. 의료계의 수장으로서 지위를 의심할 사람이 없는 샤르코 박사는 마약보다 최면 암시를 더 많이 사용한 것으로 알려져 있으며, 당대 최고의 의사들 중 상당수도 마찬가지입니다.

필라델피아 의료 요약(Medical Summary)에서 인용해보겠습니다. 그 내용은 다음과 같습니다.

"한 유명한 작가는 암시가 질병 치료의 원동력이라고 말했다. 숙련된 의사는 환자의 이익을 위해 암시를 사용하는 습관이 있다. 병상 옆에서 신중한 친구와 방문객은 더 나은 미래가 올 것이라는 확신을 가지고 암시한다. 격려의 한마디, 안심시키는 미소는 희망을 불러온다. 이것 역시 암시이다. 류마티즘 링, 자기 치유, 신성 치유 모두 암시에 뿌리를 두고 있다. 통증, 불면증, 신경통, 류마티

증, 두통 등은 암시에 종종 굴복한다. 의사가 콜타르 진정제와 아편의 도움 없이도 두통, 요통, 좌골 신경통 또는 류마티스 관절의 통증을 완화할 수 있다면, 그렇게 해야 할 의무가 있다."

이것은 의료계에서 보다 진보적이고 자유로운 생각을 가진 사람들의 동향을 보여줍니다. 그리고 나는 의료계 전체를 적대시할 생각이 전혀 없습니다. 새로운 움직임에 반대하는 일부 문맹 의사들이 있다면 어떨까요? 그들은 선두에 서지 않습니다. 더 똑똑한 사람들이 앞장서고, 무지한 의사들이 뒤따를 것입니다. 내 구독자 명단에 정식 의사들이 많이 있는데, 그들은 지침을 받기 위해 내게 편지를 보내옵니다. 실제로 치료를 위해 환자를 내게 보내는 의사도 일부 있고, 직접 치료를 받고 약의 비효율성을 인정하고 더 나은 치료법을 찾는 이들도 있습니다. 뉴욕의 한 의사는 내게 파트너가 되어달라고 요청했는데, 사실 의사들은 알려진 것처럼 그렇게 편견에 사로잡혀 있지 않다는 것을 알 수 있습니다.

물론, 우리가 광신도처럼 들어가서 주치의를 병실에서 나가라고 하면 자연스럽게 나쁜 감정을 불러일으킬 것입니다. 이것이 해롤드 프레데릭(Harold Frederic)의 경우처럼 환자가 사망한 경우에 크리스찬 사이언스(Christian Scientists)가 저지른 실수입니다. 크리스찬 사이언스가 항상 환자를 구했다면 상황은 완전히 달라졌을 것입니다. 그들은 의사를 책임 없이 해고할 수 있었을 것입니다. 하지만 그들은 종종 실패하기 때문에 그렇게 높은 수준으로 일을 해결하려고 시도하지 않는 것이 좋습니다. 왜냐하면 그것은 그들의 운동에 불명예를 가져오기 때문입니다. 반면에 정신 과학자(Mental Scientists)는 자신의 주장에 더 겸손하고 의료계에 대한 예의를 지키며, 그러면서도 환자를 치료하는 데 거의 실패하지 않습니다.

당신은 세상이 계속 발전하고 있으며 어떤 보수주의도 이를 막을 수 없습니다. 한 시스템이 다른 시스템에 자리를 내주기도 합니다. 여러 의학 학파가 출현하여, 한 시대를 풍미하고 사라졌습니다. 멘탈 힐링은 지금 여기에서 그 시대를 가지고 있습니다. 그날이 지나면 다른 것으로 대체될 것입니다. 그러나 그것은 우리와 관련이 없습니다. 우리가 손에 좋은 힘을 가지고 있는 동안 그것을 사용하는 것이 가장 좋으며, 막연하게 따라올 것을 찾지 않는 것이 좋습니다. 멘탈 힐링이 쇠퇴하면 그때 더 나은 것을 찾아도 시간적으로 충분할 것입니다. 그리고 그것은 쇠퇴하는 것이 아니라 정점을 향해 꾸준히 상승하고 있습니다.

최면 암시와 함께 사용할 때 차가운 물 한 방울이 물집을 일으킬 수 있다는 것을 알면, 생각이 신체 분비물에 미치는 힘을 의심할 수 있습니까? 또한 실험에서는 실제로 물 한 방울도 필요하지 않습니다. 왜냐하면 생각만으로도 물집을 일으킬 수 있고 그렇게 했기 때문입니다. 반면에 생각만으로도 물집을 막을 수 있으며 실제로 그렇게 했습니다.

하버드 대학교의 윌리엄 제임스 교수는 신체 어느 부위에서나 생각으로 부종을 일으킬 수 있다고 말합니다. 같은 원리를 반대 방식으로 적용하면 생각으로 부종을 제거할 수 있습니다.

엘머 게이츠 박사는 생각만으로 혈액을 몸 여기저기로 마음대로 보낼 수 있다는 것을 보여주었습니다. 그는 이것을 의심할 여지 없이 증명할 수 있습니다. 다른 과학자들도 그에 못지않은 놀라운 진술을 내놓고 있으며, 그들의 말은 반드시 무언가를 의미해야 합니다. 당신은 영원히 고개를 가로저으며 모든 것과 모든 사람을 의심할 수는 없습니다. 당신은 화학자, 천문학자, 자연주의자들의 증거를 바탕으로 많이 받아들이고 있으며, 질병을 치료하는 데 있어 생각의 힘을 뒷받침하는 증거도 똑같이 설득력이 있습니다. 철저하게 조사하는 사람이라면 누구도 의심할 수 없습니다.

생각이 한 사람의 마음에서 다른 사람의 마음으로 전달될 수 있다고 믿는 데 가장 큰 걸림돌은 아마도 물리적인 전달 매체, 즉 이동 수단이 없어 보이기 때문일 것입니다. 하지만 있습니다. 그것은 에테르 형태의 정제된 물질이며, 이 에테르 위에서 생각이 이동합니다. 우리의 감각으로는 감지할 수 없지만 존재하는 것들이 있으며, 이것이 바로 그중 하나입니다.

전기는 우리 주변에 존재하지만 우리는 그 사실을 인식하지 못하고 있으며, 지금처럼 전기를 사용하는 것이 불가능하다고 여겼던 시대가 있었습니다. 에디슨이 충분히 오래 살았다면 거대한 전기 발전소와 번거로운 기계를 설치하지 않고도 그것을 찾아서 사용하는 방법을 우리에게 보여줄 것입니다. 지금도 그는 석탄에서 전기를 직접 생산하는 방법을 찾아내고 있을 것입니다. 우리는 엔진이나 발전기 없이 전기로 자동차를 달리고, 집을 밝히고, 온갖 일을 할 수 있게 될 것입니다. 얼마나 큰 발전입니까? 그러나 그것은 세상이 점점 더 미세한 영역을 향해 나아가고 있음을 보여줄 뿐입니다.

전선 없이 전보를 보낼 수 있다고 누가 생각했을까요? 워싱턴에 송신기를 설치하고 보스턴에 수신기를 설치했을 때, 이곳에서 보스턴까지 전선 없이 메시지가 전달되고 도중에 길을 잃지 않는 것이 여전히 놀랍습니다. 하지만 그것은 거기에 도달하며 치유자가 여기에서 보스턴에 있는 환자에게 생각을 보낼 때도 마찬가지입니다. 치유자는 송신자이고 환자는 수신자이며, 메시지는 한 곳에서 다른 곳으로 곧바로 진실하게 전달됩니다. 그리고 거기에서 그치지 않고, 여기서 영국으로, 여기에서 핀란드로, 여기에서 남아프리카로, 여기에서 환자의 형태로 수신자가 설치된 곳이라면 어디든지 전달됩니다. 편지는 도착하는 데 몇 주가 걸릴 수 있지만, 생각은 섬광처럼 순식간에 전달됩니다. 우리는 전기적 사고의 힘을 발견했고, 전기 시대에 살고 있습니다. 금세기에는 더 크고 위대한 기적이 펼쳐질 것입니다.

다음 강의에서는 생각이 심장 박동, 혈액 순환, 소화 등 신체의 비자발적 활동을 어떻게 제어하는지에 대해 몇 가지 이야기하겠습니다.

그동안, 이 생각의 힘에 대해 생각해 보면, 적어도 마음에서 마음으로 전달될 가능성이 조금은 있다는 것을 인정할 준비가 될 것입니다. 그렇게 인정되면, 생각이 질병을 치유할 수 있다는 것이 그렇게 우스꽝스럽거나 불가능해 보이지 않을 것입니다. 생각이 힘이라고 믿고, 몸에 작용한다고 믿고, 또한 한 마음에서 다른 마음으로 또는 한 마음에서 다른 몸으로 전달될 수 있다고 믿는다면, 생각이 질병을 일으키거나 치료할 수 있다고 믿는 것은 단지 한 걸음 정도 나아간 것에 불과할 뿐인 것 같습니다.

다른 사람에 대한 분노의 생각이 말 한마디 하지 않아도 병을 일으킬 수 있다는 것을 알아차리지 못했습니까? 그것은 단순히 생각이 어떻게 질병을 일으킬 수 있는지 보여줍니다. 생각에는 치유할 수 있는 또 다른 특성이 있습니다. 이에 대해서는 나중에 이야기하겠습니다.

강의 II

이전 강의에서 생각은 말이나 글의 매개체 없이 작용할 수 있는 잠재적 힘이며, 한 사람의 생각이 다른 사람의 몸에 작용할 수 있다는 점을 명확히 하려고 노력했습니다.

그것은 선하게도 악하게도 작용할 수 있습니다. 건강을 만들 수도 있고 병을 만들 수도 있습니다. 그런 힘이니 그것이 뭔지, 어떻게 사용하는지 아는 것이 현명하다고 할 수 있습니다.

그 지식은 누구에게나 열려 있으며, 구할 가치가 매우 크므로 나는 그것을 모든 것 위에 필요한 한 가지, 무엇보다 바람직한 것으로 부르고 싶습니다.

기관차를 운전하고 싶다면 그 부품에 대해 확실히 알고 있어야 합니다. 그 메커니즘과 그것이 어떻게 작동하는지 알아야 합니다. 그렇지 않으면 매우 엉망인 기관사가 되어 아마도 첫 번째 여행에서 사고를 내고 말 것입니다. 기관과 엔진 제어법에 대해 더 많이 알기 전까지 사고는 계속 일어날 것입니다.

우리하고 하고 있는 일이 바로 그것입니다. 우리는 우리가 거의 알지 못하는 인간 엔진을 작동시키려고 시도했고, 그 결과 우리가 병이라고 부르는 사고를 겪었으며, 우리의 엔진은 너무 자주 수리점에 들어갔습니다. 확실히 인간 엔진의 메커니즘은 철제 형제보다 훨씬 더 복잡하고 이해하기 어렵지만, 그것을 완벽하게 제어하기 위해 알아야 할 모든 것을 배우는 것은 가능합니다. 물론 시간과 생각과 인내가 필요하지만, 그것은 가치 있는 시간과 생각과 인내입니다. 사실, 이보다 더 나은 방법은 없습니다.

이와 비교할 수 있는 연구가 있나요? 없다고 말해야 할 것 같습니다. 실제로 건강, 마음의 평화, 상황을 지배할 수 있는 능력이 없다면, 어떤 방향으로 무엇을 이룰 수 있겠습니까? 잘 발전된 우리의 능력을 우리가 선택할 수 있는 직업에 발휘하는 것은 고통스러운 노동이 아니라 즐거운 일을 하는 것입니다.

우리는 기관에 대한 충분한 지식 없이 기관을 운전하려고 시도하는 사람의 위치에 놓여 있습니다. 그는 실험해야 하고, 우리도 마찬가지입니다. 그는 동력을 찾고 그것을 사용하고 제어하는 방법을 배워야 합니다. 우리도 마찬가지입니다. 그는 그 동력을 높일 수 있어야 하며 우리도 그래야 합니다.

그러나 여기서 비유는 끝납니다. 왜냐하면 엔진의 힘은 한계가 있지만 우리의 힘은 한계가 없기 때문입니다.

일주일 동안 아무것도 먹지 않은 가냘프고 연약한 친구가 샌도우(Eugen Sandow. 프로이센 출신의 독일 보디빌더)도 부끄러워할 만한 묘기를 하는 것을 본 적이 있습니다. 그는 공공장소에서 최면 상태에 빠져 7일 동안 단식하는 동안 지속적으로 감시를 받았고, 최면이 끝날 무렵에는 여섯 명의 강인한 경찰관이 그를 의자에 앉힌 채 억누르고 있었습니다. 최면 상태에서 그를 통제하던 사람의 신호에 따라 작고 연약한 생물이 튀어나와 앉은 자리에서 그를 붙잡고 있던 그 강한 사람들을 내던졌습니다. 자, 그런 그의 힘은 어디에서 나온 것일까요? 확실히 그의 연약한 근육에서 나온 것은 아닙니다.

나는 이런 종류의 시연을 많이 보았고, 그것은 모두 우리가 약한 근육에 부어 즉시 강화할 수 있는 큰 힘의 저수지에 대한 내면의 정신적 측면이 열려 있다는 것을 확신하게 해줍니다. 한번은 보스턴에서 열린 심령연구학회에서 최면에 걸린 두 명의 피험자가 빌 나이(Bill Nye)와 정치 연설자를 사칭하는 것을 본 적이 있습니다. 최면술사는 한 명에게는 그가 빌 나이이며, 다른 한 명에게는 후보자의 이익을 위해 연설하고 있다고 간단하게 암시했습니다. 가짜 빌 나이는 참을 수 없을 정도로 익살스러웠고 그의 웅변은 긴 연설의 끝까지 꾸준한 흐름으로 이어졌습니다. 연단 연설자는 자신의 역할을 똑같이 잘 수행했으며, 두 사람 모두 탁월하게 연설했다는 것이 내게는 놀랍습니다. 최면술사는 그 이상의 암시를 제공할 수 없었기 때문입니다. 그가 두 피험자 모두에게 연설을 단어별로 제공했다면 그는 매우 훌륭한 연설가이어야 했고, 두 사람에게 동시에 두 가지 연설을 제공하는 것은 내가 믿을 수 없을 정도로 더 큰 능력을 의미했을 것입니다.

그렇다면 대안은 무엇이었을까요? 각 피험자는 영감의 원천을 스스로 찾았을 것입니다. 어떤 연사에게는 자신이 빌 나이라는 암시가, 다른 연사에게는 자신이 연단 연설가라는 암시가 어떤 식으로든 빌 나이의 사고의 흐름과 연결됐을 것입니다.

이러한 사례와 비슷한 성격의 다른 많은 사례들을 통해 나는 우리 각자의 내면에는 힘, 활력, 건강, 조화, 아름다움, 우리가 상상할 수 있는 모든 것, 우리가 될 수 있는 모든 것을 표현할 수 있는 모든 것이 담겨 있는 거대한 저수지가 있다고 생각하게 되었습니다. 우리는 그 수로를 열고 흘러가도록 내버려두기만 하면 됩니다.

레일에 올라선 기관차는 엔지니어의 손길을 기다리며 움직이지 않는 물건입니다. 스로틀이 열리고 기관차는 생명과 힘의 존재로 뛰어나갑니다. 이것이 기적일까요? 아니요, 일상적인 일이지만 법칙의 문제, 조정의 문제, 과학적 확실성의 문제이며 우리에게 가장 중요한 문제입니다. 왜냐하면 힘, 즉 생명은 기관차에서와 마찬가지로 우리 안에서 풀려나기 때문입니다. 그것은 방법을 알면 됩니다. 인간 기계는 확실히 복잡하지만, 생각만큼 이해하고 제어하기 어렵지는 않습니다.

기관차를 운전할 계획이라면, 숙련된 기관사의 지시를 의심 없이 받아들이는 것이 많은 시간과 수고를 절약할 수 있습니다.

그와 논쟁하지 말고 그가 하라는 대로 하십시오. 그는 엔진을 작동시킬 수 있고 만족스럽게 운전할 수 있으므로 처음부터 귀 기울여 들을 만한 사람입니다. 나중에 그의 방법을 개선하여 그보다 더 빠른 속도로 기관차를 움직일 수도 있지만, 지금은 할 수 없습니다. 그리고 시도하면 엉망이 될 가능성이 높습니다. 지금은 그의 아이디어를 실행에 옮기고 시간이 지난 후에 자기 아이디어를 발전시키세요.

같은 이유로 내가 당신에게 내 진술을 받아들이고 행동해 달라고 요청하는 것은, 그것이 내 기관차를 운전하는 데 도움이 되었으며 당신의 기관차를 운전하는 데에도 도움이 될 수 있다는 것을 알기 때문입니다. 당신은 기계를 최대한 활용하기 위해 기계의 특정 조정에 적합한 무언가가 필요할 수 있지만, 그것은 나중에 당신 자신의 생각과 경험에서 쉽고 자연스럽게 나올 것입니다.

인간 기관은 세부적으로는 크게 다르지만 모두 동일한 일반 원리로 작동하며, 내가 당신에게 제공하는 것은 바로 그 원리입니다. 세부적인 내용은 당신 스스로 해결해야 합니다.

모든 철도 기관사는 증기를 발생시키기 위해 물을 사용합니다. 그 점에서 그들은 한마음입니다. 어떤 사람은 물을 사용하고 어떤 사람은 식초와 당밀을 사용하지 않습니다. 모두 물을 사용합니다. 왜 그럴까요? 목적에 가장 적합하기 때문입니다. 식초나 당밀이 좋지 않은 이유가 있을 수 있지만, 기관사와 논쟁을 벌이면서 왜 좋지 않은지 물어본다면, 그는 눈빛으로 당신이 바보라고 비난하거나 "그냥 가서 써보는 게 낫겠다"고 퉁명스럽게 말할지도 모릅니다.

기관사는 실용적인 사람입니다. 그는 훌륭하고 건전하며 확고한 감각을 가지고 있습니다. 그는 우리 중 너무 많은 사람들처럼 "왜"와 "어떻게"에 대해 멍청하게 서 있지 않고 곧바로 무언가를 하고 어딘가에 도달합니다.

이제 엔진에 물을 사용하는 것은 일반적인 원칙입니다. 의문을 제기할 것이 아니라 실천에 옮겨야 할 것입니다. 그래서 내가 당신에게 드리고 당신에게 신뢰를 가지고 받아들이기를 요청하는 일반적인 원칙이 있습니다. 바로 이것입니다:

인간 기관을 가동할 때는 특정한 생각의 흐름을 켜야 하며,

그 흐름은 당신이 명령할 수 있습니다. 사람들이 자기 생각의 흐름을 제어할 수 없다고 말하는 것을 들으면, 나는 더 잘 압니다. 나는 그들이 충분히 오래 또는 올바른 방법으로 시도하지 않았다는 것을 압니다.

그리고 당신에게 또 한 가지 말씀드리고 싶은데, 당신이 직접 증명할 수 있을 때까지 믿고 받아들이기를 바랍니다. 나는 당신의 엔진에 좋은 역할을 할 신성한 진리의 물 또는 참된 생각 외에는 아무것도 없다고 말하고 싶습니다. 식초나 당밀에 해당하는 생각의 흐름을 들여보낼 수는 있지만, 당신은 그것들로부터 원동력 대신에 부식이나 끈적임만 얻을 것입니다.

자신에 관한 참된 생각이 있고 거짓 생각도 있습니다. 거짓 생각은 환상에 불과하지만, 그것이 마음속에 있는 동안에는 실제처럼 보이고 당신은 그러한 것으로부터 행동합니다. 당신은 자신을 약하다고 생각하고 그렇게 행동하지만, 최면에 걸린 피험자가 여섯 명의 강한 경찰관을 쫓아낸 것보다 더 약하지는 않습니다. 그는 어떻게 했습니까? 순간 그의 진정한 힘이 그에게 드러났기 때문입니다. "사람은 자기 마음속으로 생각하는 그대로 된다"는 인용문을 자주 보셨을 것입니다. 그것은 당면한 사건에 적용됩니다. 이 남자는 자신이 강하다고 생각했고 결과적으로 그렇게 되었습니다.

같은 원칙이 모든 종류의 질병에 적용됩니다. 내부에 문제가 생겨서 암이라고 생각할 수 있습니다. 충분히 강하게 생각하면 암이 될 것입니다. 또는 반대로 실제로 암에 걸렸을 수도 있는데, 암이 아니라고 충분히 강하게 생각하면 암이 사라질 것입니다.

그러나 암에 걸렸을 때 어떻게 하면 암이 없다고 생각하게 할 수 있을까요? 아, 그래도 암은 있는 건가요? 그것이 요점입니다. 모두 당신이 자신을 무엇으로 여기느냐에 달려 있습니다. 당신이 육체라면, 당신은 확실히 암이 있습니다. 나는 그것을 부정하지 않을 것입니다. 내가 부정하는 것은 당신이 육체라는 것입니다. 나는 당신이 태어나지도 죽지도 않는 영적 정체성이며, 당신이 몸이라고 부를 많은 껍질을 입을 수 있는 힘을 가지고 있다고 선언합니다. 당신이 이미 얼마나 많은 껍질을 입었는지 아무도 모릅니다. 앞으로 얼마나 많은 껍질을 갖게 될지도 모릅니다. 지금 당신이 가지고 있는 육체는 계속해서 변화하고 있으며, 지금 암이 있더라도 3개월 후에는 암이 없을 수도 있습니다. 암을 치유하는 데 필요한 시간은 당신이 신체를 어떻게 조절하느 나에 달려 있습니다.

이제 들어보세요. 내가 몸에 대한 통제력을 말할 때, 당신은 자신이 육체보다 우월한 존재라고 생각하지 않습니까? 그렇지 않으면 어떻게 몸을 제어할 수 있겠습니까? 당신이 자신을 몸으로 생각하는 한, 또는 몸을 자신으로 생각하는 한, 당신은 그 상태나 활동에 대한 우월성을 주장할 수 없으며 통제할 수 없습니다.

당신이 진정한 자아에 대해 암이 없다고 말할 때, 당신은 진실을 말하고 있습니다. 왜냐하면 이 진정한 자아에 대해 더 많이 알수록, 그것이 암이나 어떤 결함이나 질병도 가질 수 없다는 것을 더 강하게 깨닫게 되기 때문입니다. 그리고 이것을 깨닫게 되면, 당신의 생각은 긍정적인 성격을 갖게 됩니다. 왜냐하면 그것은 이제 현실적인 것이고 환상에 좌우되지 않기 때문입니다. 그것은 이제 신의 진실을 생각하고 있으며, 신성한 에너지로 불타고 있으며, 당신의 몸을 치유할 수 있습니다.

그리고 몸의 질병을 치유하는 데 진실인 것은 걱정, 고민, 염려, 슬픔, 피곤함 및 모든 비애에 대한 마음을 치유하는 데에도 진실입니다.

진정한 자아는 이러한 것들에 의해 영향 받거나 상처입지 않는다는 것을 내 안에서 느낄 수 있지만, 다른 사람들에게 내 생각을 분명히 하는 것이 어렵습니다. 이 주제에 대해 어떻게 하면 내 생각을 가장 잘 표현할 수 있을지 고민하던 중 다음과 같은 글을 발견했습니다. 이 글은 원래 인도주의(The Humanitarian) 지에 실린 M. E. 카터의 글에서 발췌한 것입니다:

“몇 년 전 미국 엘리엇의 그린애커에서 깊은 인상을 남긴 그림을 보았습니다. 열아홉 살밖에 안 된 이상주의자 소녀가 그린 그림이었습니다. 그림은 아름다운 머리를 표현했고, 얼굴은 윤곽과 색상이 완벽했지만, 크고 어두운 눈은 먼 곳을 바라보며, 배고프고 만족스럽지 못한 표정으로 얻을 수 없는 무언가를 찾고 있는 것처럼 보였습니다. 그 얼굴은 모든 아름다움과 진지함에도 불구하고 형용할 수 없을 정도로 슬펐습니다. 이 머리 바로 옆에는 뺨을 거의 붙이다시피 하고 있는 또 다른 머리가 있었는데, 고요함과 완벽한 평온함을 지니고 있었습니다. 두 얼굴 모두 아름다웠지만, 하나는 보는 이에게 배고픔과 불안감을 남겼고, 다른 얼굴은 욕망할 것이 아무것도 없었습니다. 그림은 바라보는 대로 스스로 해석되었습니다.

그림의 개요에는 아직 신성한 자아에 깨어나지 않은 인간의 이야기가 반복적으로 나와 있었습니다. 배고프고, 불안하고, 슬프고, 무엇을 원하는지 모르지만 갈망하고 있는 것. 그리고 항상 인식을 기다리는 신성한 자아, 진정한 자아, 진정한 존재가 가까이 있습니다! 조만간 우리가 친해져야 하고, 그 이후 우리 삶의 매 순간을 깨닫는 법을 배워야 하는 것은 바로 우리 각자의 진정한 자아입니다."

이제 두 개의 자아가 존재할 가능성에 대해 논쟁하고 의문을 제가하고 많은 형이상학적 수수께끼에 빠지게 되면, 식초와 당밀 중 어느 것이 엔진의 물 역할을 할 것인지에 대해 많은 시간을 소비하는 사람과 같을 것입니다. 어리석은 고민에 시간을 낭비하지 말고 물을 틀고 계속 나아가세요.

진정한 자아를 찾으십시오. 그리고 그것을 찾지 못하거나 엿볼 수 없거나, 그 존재에 대한 활력을 느끼지 못한다면, 문제가 녹아 없어지고 질병이 봄에 새에서 떨어지는 깃털처럼 사라지는 동안 위대한 평화가 당신의 정신에 찾아오지 않는다면 – 왜, 이 모든 일이 일어나지 않고 많은 좋은 일이 일어나지 않는다면, 형이상학적 토론으로 돌아갈 수 있습니다. 하지만 내 의견으로는 돌아갈 필요가 없을 것입니다. 왜냐하면 훨씬 더 나은 것을 찾았을 것이기 때문입니다. 실제적인 것에 대해 이론화하는 대신 그것을 찾았을 것입니다.

방금 언급한 두 자아가 잘 묘사된 그림을 마음속으로 떠올리면 매우 도움이 될 것입니다. 하나는 불안하고, 슬프고, 만족스럽지 못하고, 배고프고, 불안하고, 갈망하는 반면, 다른 하나는 완벽하게 평온하고 평화로운 상태에 있습니다. 그리고 다른 자아, 그 위대한 자아가 아주 가까이, 아주 가까이 있다는 것을 기억하세요!

그것과 비교되는 작은 자아는 큰 바다 표면의 파도와 같습니다. 그것은 일어나서 자신을 주장한 다음 다시 그 근원을 찾고 그것과 하나가 됩니다. 어떤 작가들은 이것을 정체성의 상실이라고 부릅니다. 나는 이것을 발견이라고 부릅니다. 파도는 바다와 섞일 때 사라지지 않습니다. 왜냐하면 파도는 다시는 나오지 않습니까?

강의 III

두 번째 강의에서는 무의식적 행동에 대해 이야기할 계획이었으나, 그 전에 너무 많은 내용을 다루었기 때문에 이번 강의로 주제를 연기하기로 결정했습니다.

다양한 작가들이 잠재의식이라는 용어를 다양한 방식으로 사용합니다. 일부 작가들의 경우 잠재의식은 오히려 내가 초의식이라고 부르거나 에머슨이 오버소울(Over-Soul)이라고 부른 것을 나타내는 것으로 보입니다.

잠재의식이라는 용어를 사용할 때 나는 심장 박동, 혈액 순환, 소화와 같은 신체의 비수의적 행동을 제어하는 정신적 힘을 의미합니다. 즉, 의지에 직접적으로 의존하거나 의지에 의해 제어되지 않는 모든 과정을 말합니다. 걷는 행위는 대부분 잠재의식적이지만, 걷는 방향은 일반적으로 의지에 따라 결정됩니다. 하지만 매일 같은 방향으로 걸으면, 마음이 다른 생각에 완전히 사로잡혀 있는 동안 발이 저절로 모퉁이를 도는 것처럼 보이는 경우가 종종 있습니다.

잠재의식은 습관의 집합체이며, 오랫동안 몸에 배인 습관입니다. 잠재의식은 질병의 습관을 갖게 되는데, 즉 잠재의식의 일부가 잘못된 방향으로 움직이기 시작하고, 모든 것이 올바르게 움직이거나 다른 모든 부분이 불규칙한 행동에 적응하고 일종의 휴전을 맺을 때까지 계속 그렇게 움직입니다. 모든 관계자에게 가장 좋은 것은 아니지만, 일시적인 평화를 위해 타협하는 것과 같습니다.

신체의 다른 부분이 잘못 배치된 장기를 위한 공간을 만들기 위해 위치를 바꾸는 것은 잘 알려져 있으며, 비록 제자리에서 훨씬 더 잘 작동할 수 있지만, 약간의 불만과 불평 후에 그들은 새로운 자리에서 일에 착수하고 꽤 잘 지내지만, 그래도 항상 불만의 요소가 남아 있습니다. 드물게 공개적으로 폭동을 일으키지만, 단순히 그들이 갇혀있는 몸의 주인을 다소 불편하게 만드는 것입니다. 그는 내면의 방에 있는 하인들에게 뭔가 잘못되었다는 것을 알고 있습니다. 그는 그것이 무엇인지 볼 수 없지만, 무언가가 정상적이지 않다고 느끼게 되며, 육신의 집에 불화가 생깁니다.

있지만, 때때로 모든 하급자가 그렇듯이 자신을 주장하고 독자적인 길을 가는 방법이 있습니다.

한 작가는 인간 유기체가 벗어나 자유를 얻기 위해 항상 분투하고 있는 하급의 힘을 억제함으로써 자신을 유지한다고 독창적으로 표현했습니다. 확실히 그렇게 보입니다. 왜냐하면 육체를 온전하게 유지하는 정신이 떠나자마자 모든 원자가 유기체의 통제에서 벗어나기 위해 가장 거칠고 극단적인 무정부 상태가 이어지기 때문입니다.

내 생각일 수도 있지만, 우리가 원자를 조금만 더 배려해서 대하면 더 나은, 더 행복한 서비스를 받을 수 있지 않을까 하고 생각하지 않을 수 없습니다. 그러나 이 역시 지나가는 생각일 뿐입니다.

우리는 어떻게든 신체 경제가 지능으로 규제된다는 사실을 받아들였지만, 그 규제 지능이 유기체 자체에 존재한다고 믿을 준비는 되어 있지 않았습니다. 그렇게 한다는 것은 우리의 치유 철학에서 가장 강력한 포인트 중 하나이며, 이것을 증명하기 위해 이 주제에 대한 나 자신의 글에서 다음과 같이 인용하겠습니다.

"신체는 과거 어느 시점에 감긴 태엽 시계와 같으며, 죽음은 그 기계적인 작용이 멈추는 것입니다. 따라서 죽음을 정복하는 것은 그 시계를 감는 것이며, 일단 배우고 나면 그 과정은 간단합니다."

이것이 사실이 아닌지 살펴봅시다.

아주 오래전 지구에 생명이 시작되었을 때, 아메바라는 작은 원형질 형태는 먹이에 대한 욕망을 가지고 있었습니다. 이 욕망에 이끌려 이리저리 떠돌다가 욕망의 대상과 마주치면 몸을 접어서 흡수할 수 있는 것은 흡수하고 나머지는 배출했습니다. 시간이 지남에 따라 아메바의 욕망은 점점 더 강해지고 더 다양한 먹이에 대한 욕구가 커져서 먹이를 빨리 놓아주지 않고 붙잡아 가능한 한 더 많은 영양을 흡수하기 위해 노력했습니다. 그 결과 마침내 아메바의 평평한 표면이 튜브 모양의 구조로 변하는 정착 수축 노력이 이루어졌고, 이것이 위장의 첫 번째 핵이 되었습니다.

그러나 작은 위는 저장된 음식물을 모두 소화할 수 없었고, 흡수할 수 없는 음식물을 제때 제거하지 못했다면 심각한 소화불량에 시달렸을 것입니다. 따라서 더 이상 필요하지 않은 액체와 고체 물질이 작은 유기체 밖으로 빠져나갈 수 있도록 관 또는 통로가 형성되었습니다. 이 관이 원시적인 장과 신장이었습니다. 다른 필요를 공급하기 위해 눈, 귀, 심장, 폐 및 기타 기관이 형성되었습니다.

이 기관들은 그것을 투사하는 개인의 의식적인 행동에 그 기원과 성장을 빚지고 있습니다. 생명체의 형태가 아무리 낮더라도 외부 사물에 대한 지식이 있다면 의식을 가지고 있습니다. 의식이 있다는 것은 단순히 안다는 것을 의미하며, "의식"이라는 단어는 라틴어 conscius에서 유래되었습니다. con과 scire는 아는 것을 의미합니다. 아메바는 먹이의 존재를 알고 있었기 때문에 의식이 있었고, 먹이를 잡으려는 의지가 있었기 때문에 의지가 있었습니다. 아메바는 의식적인 의지를 가지고 행동했고, 이런 방식으로 나중에 발달할 기관을 투사했습니다.

그러나 욕망이 점점 커지면서 처음에 확립된 활동의 통제력을 떨어뜨렸는데, 이는 기계적 법칙에 의해 그렇게 할 수 있었기 때문입니다. 공을 굴리도록 설정하면, 의식적 의지의 대리인인 손의 운동량에 의해 공이 앞으로 전달되고, 전달된 힘이 소비될 때까지 공은 계속 굴러갑니다. 같은 법칙에 따라 의식적 의지에 의해 처음에 신체에 설정된 기계적 작용은 전달된 힘이 소진될 때까지 계속됩니다.

이런 식으로 우리 몸은 오래전에 설정된 작용의 결과로 움직이고 있습니다. 어린 시절부터 노년기에 이르기까지 우리는 태엽을 감는 손이 없는 시계처럼 원래의 추진력에서 점점 더 멀어져 마침내 메커니즘이 멈추게 됩니다.

그러나 시계가 다시 움직일 수 있는 것처럼 인간의 몸도 똑같이 할 수 있고 우리가 죽음이라고 알고 있는 활동의 중단에서 벗어날 수 있습니다.

그러므로 우리가 배워야 할 것은 시계를 태엽을 감는 방법과 그 기계를 조절하는 방법입니다."

그 방법을 알려드리겠습니다.

잠재의식의 기계는 나무나 강철과 같지 않으므로 다른 도구를 사용하여 조절합니다. 당신이 사용해야 하는 도구는 생각하거나 말하는 단어입니다. 때로는 말이 전혀 없는 감정을 사용할 수도 있습니다.

사람들이 이것을 더 잘 이해한다면, 정신 치료사가 환자가 분명히 아프고 약할 때 왜 그가 건강하고 강하다고 말하는지 알 것입니다. 잠재의식이 의식의 통제하에 있지 않다면 그러한 확언을 하는 것은 조금도 도움이 되지 않을 것입니다. 돌담에 던진 조약돌보다 더 큰 효과를 내지 못할 것입니다.

그것이 효과를 내는 것은 잠재의식이 민감하고 진동하는 실체이자 마음의 실체이기 때문에 살아있는 말에 의해 자극 받을 때 그 말에 따라 움직이기 때문입니다.

살아있는 말은 건강의 말, 성공의 말, 응원의 말이며 잠재의식은 더 나은 혈액 순환, 더 나은 심장 박동, 더 나은 근육 및 신경 작용, 더 나은 시력, 더 나은 청력 및 더 나은 소화를 생성함으로써 이에 반응합니다.

반면에 "아, 나는 너무 아프고, 너무 불행하고, 너무 가난하고, 너무 불운하고, 너무 희망이 없어"와 같은 죽은 말은 모두 우울한 영향을 미치고 전체 시스템의 톤을 낮추어 모든 면에서 살아있는 말의 정반대 효과를 내게 됩니다.

세계 역사에서 말씀이 육신이 된 것은 한 번만이 아니라 매일, 매시간, 매 순간 일어나고 있습니다.

말씀은 항상 육신이 되어 살아 있는 말씀을 선택하는 자를 행복하게 합니다.

당신이 최대한 아프면서 살 수 있다고 생각할 때, 내가 당신에게 당신이 건강하다고 말하면 근거 없고 불합리한 주장처럼 보일 것입니다. 그러나 그렇지 않습니다. 그 이유는?

글쎄, 내가 당신의 현재 상태를 구성하는 물리적 기분에 대해 말하는 것이 아니기 때문에 그것은 근거가 없거나 불합리하지 않습니다. 특정 순간에 분노에 빠진 당신을 보면서도, 당신이 원래 평정하고 온화한 성격을 가진 사람이라는 것을 안다면, 내가 당신은 야만적인 짐승이라고 선언할까요? 이 일시적인 상태를 당신이라고 생각할까요? 나는 그러지 않을 것임을 압니다.

좋습니다. 당신의 병은 단지 육체의 일시적인 기분일 뿐이고, 나는 내가 아는 당신의 진정한 모습에 대해 확고한 입장을 취합니다. 그 관점에서 말하기 때문에 내 진술은 사실입니다.

당신은 모든 기분, 모든 경험, 모든 변화의 배후에 진짜 당신이 있다는 것을 알고 있습니다. 당신도 그것이 사실이라고 느낍니다.

나는 그 정도는 알고 있으며, 당신에게 매우 중요한 것, 즉 많은 시련, 많은 질병, 많은 상실을 극복하는 데 도움이 될 무언가를 더 알고 있습니다.

그것은 바로 이것입니다. 진정한 당신은 천사처럼 영광스럽고 태양처럼 빛나는 위대한 자아입니다. 어떤 사람들은 그것을 '빛나는 자'라고 불렀는데, 나는 그 이름이 매우 아름답다고 생각합니다.

그러나 왜 그렇게 완벽한 것이 표현하기 어렵고, 그렇게 위대하고 영광스러운 것이라면 왜이 모든 상처와 흠, 기형, 질병 및 슬픔을 나타냅니까?

구름이 지구와 태양 사이에 끼면 그림자가 지구를 감싸는 것과 같은 이유 때문입니다. 지구는 알지 못해도, 태양은 여전히 똑같이 빛나고 있습니다.

의식에는 그림자 속의 지구에 해당하는 상태가 있습니다. 그 상태에서는 우리는 빛나는 자를 볼 수 없습니다. 구름을 뚫지 못합니다. 대기가 좋은 매체가 아닌 곳에서는 나타날 수 없지만, 여전히 순수하고 고요하며 완벽하게 빛납니다.

영혼이 진실이라고 아는 것을 그렇게 많은 말로 증명하기는 어렵지만, 내면에 거하는 완벽한 자아가 삶의 빛나는 중심이라는 것만큼 내가 더 확신하는 진실은 없습니다. 나는 또한 이 완전한 자아가 의식적인 마음과 그것을 통해 잠재의식에 작용하여 질병,

문제, 빈곤 및 불쾌감을 주는 모든 구름을 소멸시키고 빛나는 자의 물리적 표현으로 아름답고 달콤하고 선한 것만 남길 것이라고 확신합니다.

나는 지난 강의에서 단지 내 주장에 의존하여 일부 진술을 받아들이도록 요청해야 한다고 말했습니다. 독단적이 되고 싶어서가 아니라, 형이상학적 논증에 너무 많은 시간이 낭비된다는 것을 알기 때문에 실용적인 목적을 위해 시간을 즉시 활용려는 마음에서입니다. 기관사가 되려는 사람의 경우를 다시 인용하여, 처음에는 경험 많은 기관사의 지시를 받아들이고 행동해야 한다고 말하겠습니다.

내가 요구하는 것은 이 글을 읽는 당신이 잠재의식에 활력있고 긍정적이며 생생한 말의 효과를 시도해보라는 것입니다. 비록 당신이 가난과 질병과 슬픔의 한가운데에 있다고 하더라도 그 반대를 주장하십시오. 가능한 모든 진지함을 가지고 말하십시오. 나는 부자다, 나는 건강하다, 나는 행복하다라고 온 힘을 다해 말하세요.

모든 것이 당신의 말을 거짓말로 만드는 것처럼 보이더라도 계속 반복해서 말하십시오. 이렇게 충실히 하면, 살아있는 한 당신이 말하는 말은 잠재의식에 들어가 모든 상황에서 선을 위해 작용하는 힘이 될 것입니다.

탄산수소 나트륨을 산에 넣으면 그 산을 정정할 수 있습니다. 같은 법칙에 따라 확언을 통해 마음, 몸 또는 환경의 가장 신맛 나는 상태를 달게 만들 수 있습니다.

나는 내 인생과 다른 사람들의 인생에서 이것을 계속해서 증명했고, 그것이 나와 그들에게 어떤 영향을 미쳤는지 알고 있기 때문에 당신에게도 무엇을 할 수 있는지 확인해달라고 요청합니다. 당신의 끈질긴 노력만으로도 비용이 들지 않을 것이고 그 노력은 당신에게 유익할 것입니다. 따라서 이 시도에서 잃을 것은 없습니다. 위험은 전혀 없으며 얻을 것은 너무나 많습니다.

강의 IV

지난 강의에서 잠재의식과 그 과정에 대해 몇 가지 말씀드렸습니다. 이번 강의에서는 잠재의식이 질병의 발생이나 치료에 가장 중요한 요소이기 때문에 이에 대해 더 자세히 이야기하고자 합니다. 대부분의 사람들에게 "잠재의식"이라는 용어는 거의 의미를 전달하지 못하며 심리학자조차도 그것에 대해 잘 모르지만, 우리는 직접적인 의지나 그것이 일어나고 있다는 의식 없이 수행되는 것처럼 보이는 정신 활동이 있다는 것을 알고 있습니다. 적어도 약간의 성찰을 통해 이런 결론에 도달할 수 있습니다.

당신이 걸음마를 배우는 아이였을 때, 한 발로 균형을 잡고 다른 발을 들어 앞으로 한 발짝 내딛는 동안 매우 조심스럽게 균형을 잡아야 했습니다. 때로는 균형을 유지하지 못했지만 많은 시도 후 쉽게 걸을 수 있었고 곧 뛰거나 개구리 뛰기를 할 수 있게 되었습니다. 그것들은 나중에 이룬 성취였죠. 걷기의 첫 번째 노력은 이후의 이러한 노력으로 이어졌습니다.

그 사이 첫 번째 노력은 습관이 되었고, 지속적인 관리와 감독 없이도 할 수 있는 일이 되었습니다.

이제는 걸으면서 다른 것을 생각할 수 있습니다. 매일 같은 길로 회사에 간다면 얼마 후에는 어디로 가야 하는지 생각할 필요가 없을 것입니다. 왜냐하면 무의식적으로 코너를 돌고 어떻게 왔는지도 모르게 회사에 도착할 것이기 때문입니다. 아마도 그동안 다른 깊은 생각에 빠져 있었을 수도 있습니다. 단순한 근육 활동으로서 걷는 것도 무의식적이었고, 발걸음을 한 방향으로 옮기는 것도 무의식적이었습니다.

삶은 이러한 잠재의식적 활동으로 구성됩니다. 의식에서 시작하여 잠재의식으로 넘어가게 됩니다. 하버드의 제임스 교수는 그의 심리학에서 이러한 잠재의식 과정이 없었다면 예술은 불가능했을 것이라는 취지의 말을 했습니다. 만약 정신이 항상 예술의 모든 디테일을 세심하고 정확하게 파악하기 위해 바쁘게 움직여야 한다면, 자유롭고 대담한 획이나 우아한 윤곽선은 결코 존재할 수 없을 것입니다. 모든 것이 어린아이의 글씨처럼 비좁고 힘들게 느껴질 것입니다. 자유로운 움직임은 이전의 세부사항에서 비롯됩니다.

그리고 예술 연구에서 잠재의식에 대한 진실은 모든 연구에서, 심지어 우리의 신체적, 정신적 상태를 개선하는 연구에서도 진실이라는 것입니다.

이제 내가 말하고자 하는 것에 도달했습니다. 건강에 대한 생각이 건강을 가져오고, 성공에 대한 생각이 성공을 낳는다는 것을 가능한 한 간단하게 보여 드리고 싶습니다. 내가 말하는 것은 확언의 형태로 생각을 품는 것입니다.

예를 들어, 인간은 신성에 중심을 두고 그 중심으로부터 끊임없이 발산한다고 믿는 친구들로 구성된 우리 성공 센터에서는 다음과 같은 공식으로 우리의 믿음을 표현합니다.

“나는 무한한 신성한 사랑과 힘의 바다를 향해 내면이 열려 있다. 나는 그 바다에서 흘러나와 그것과 하나가 된다. 이 힘의 작용으로 모든 성공은 나의 것이다. 나는 모든 사업에서 성공할 것이다."

그렇다면 매일, 매달 생각에 담아두면 어떤 이점이 있을까요? 무엇이 장점일까요? 그리고 그것은 무엇을 의미합니까? 그것은 일종의 허세나 마법 아니면 주술입니까?

그것이 무엇인지 말씀드리겠습니다. 내가 방금 설명하려고 했던 마음의 법칙, 생각이 의식적인 마음에 지속적으로 머무르면 궁극적으로 잠재의식 영역으로 내려가 그곳에서 활동을 시작한다는 법칙을 단순하고 건강하고 진심 어리고 완벽하게 자연스럽게 준수하는 것입니다.

피아노를 처음 공부할 때 나는 참을성이 없는 학생이었습니다. 음계와 아르페지오를 음악에 나오는 그대로 받아들이면 잘 연주하는 법을 배울 수 있다고 생각했는데 왜 계속 음계와 아르페지오에 매달리는지 이해할 수 없었죠. 선생님은 더 잘 알고 계셨고, 이런 것들을 습관화해서 무의식적으로 실행해야 한다고 말씀하셨습니다. 시간이 지나면 다른 것을 고려해야 할 때 동시에 테크닉에 대해 자세하게 생각할 수 없기 때문입니다. 나중에는 그

필요성을 깨달았지만, 당시에는 이해할 수 없었습니다.

건강하고 달콤함, 선함, 힘의 자기적 기운을 지니고 싶다면, 다시 말해 성취의 기쁨으로 빛나는 '빛나는 성공'이 되고 싶다면, 그러한 성취를 가능하게 하는 생각을 품어야 합니다. 덧없는 생각은 당신을 이상적인 모습으로 변화시키는 데 별다른 영향을 미치지 못하지만, 계속해서 품는 생각은 시간이 지남에 따라 살아 있는 당신의 일부가 됩니다. 생각이 진실하고 고귀하다면 잠재의식도 진실과 고귀함의 척도로 움직입니다. 생각이 교활하고 비열하면 잠재의식도 그 척도로 움직입니다. 잠재의식은 움직이면서 눈빛, 고개 끄덕임, 손의 움직임, 목소리 톤 등 다양한 표현 형태로 그 과정을 기록합니다.

동시에 잠재의식은 생각의 척도에 따라 신체적 조건을 만들어 냅니다. 이것은 매우 조용하고 은밀하게 이루어지기 때문에 당신은 그것이 무엇을 하고 있는지 전혀 모릅니다. 생각의 긴 흐름을 추구하고 그것에 너무 몰두하여 자신이 생각하는 것을 의식하지 않을 수 있다는 것을 깨닫게 되면, 이것이 어떻게 가능한지 더 잘 이해할 것입니다. 그 의식은 생각의 흐름이 끝나는 지점에 도달했을 때 "제정신으로 돌아와서" 깨어날 것입니다. 당신은 항상 일하고 있었고 그 일은 마음속에 있었지만, 여전히 마음은 내부에서 진행되는 자신의 일을 의식하지 못했습니다.

잠재의식이 우리가 인지하지 못하는 사이에 활동을 추구하는 방식은 이와 같습니다. 그것은 또한 광범위하며 우리가 무지한 상태에서 설정한 범위를 넘어 확장됩니다. 그것은 우리가 작동하도록 설정한 생각의 본질에 따라 선과 악을 위해 뻗어나가 작동합니다.

이제 우리 성공 센터에서 사용하는 공식이 어떻게 마음과 몸, 주변 환경을 더 만족스러운 상태로 만드는 데 도움이 되는지 살펴봅시다.

처음에 우리는 이렇게 말합니다. "나는 무한한 신성한 사랑과 힘의 바다를 향해 내면이 열려 있다. 나는 그 바다에서 흘러나와 그것과 하나가 된다."

이것은 한계가 사라지고, 인간이 더 이상 작고 분리된 것으로 간주되지 않으며, 단지 그 정도의 크기로 만들어졌고 더 커지지 않고, 한 번 창조되었지만 다시 창조되지 않을 것이라는 것을 의미합니다. 대신 인간은 항상 위대한 영원에서 흘러나오는 흐르는 생명이라는 것을 의미합니다. 그것은 인간이 매일, 매 순간 다시 창조될 수 있다는 것을 의미합니다. 신성한 힘의 바다가 무궁무진하듯이 인간의 생명이나 힘도 마찬가지라는 뜻입니다. 이 확언은 마음을 낡은 한계의식에서 벗어나 새로운 자유의식으로 이끌어 줍니다. 그것은 더 자유롭게 숨을 쉬고 자신의 무한한 가능성을 깨닫게 합니다.

한두 번 확언하는 것으로 정신적 습관이 완전히 바뀌지는 않지만, 매일, 매달 반복해서 확언하면 마음이 완전히 새로워집니다. 그러면 잠재의식이 새로운 사고 습관을 붙잡아 모든 조직에 엮어 넣습니다. 변화와 개선이 몸 전체에서 이루어집니다. 뿐만 아니라 앞서 말했듯이 의식적인 마음이 전혀 알지 못하는 광범위한 영역에서 작동하는 잠재의식은 손을 뻗어 문을 열고 기회를 만들어 펼쳐지는 자아가 표현의 여지를 가질 수 있도록 합니다.

한계감이 사라지면 인간 영혼 안에 있는 힘의 싹은 외부 세계에 나와 스스로를 알리고 느낄 준비가 된 것입니다. 의식적인 마음은 잠재의식의 토양에 긍정의 씨앗을 심고, 그곳에서 자랍니다. 씨앗은 자유에 대한 생각, 끊임없이 새로워지는 삶에 대한 생각이며, 씨앗은 자신과 같은 것을 낳습니다.

그런 다음 공식은 계속해서 확언합니다. "이 힘의 작용으로 모든 성공은 나의 것이다. 나는 모든 사업에서 성공할 것이다."

이것은 설명이 거의 필요 없습니다. 왜냐하면 인간이 끊임없이 생명과 힘의 흐름에 따라 흘러간다면 무엇이든 성공할 수 있다는 것은 자명하기 때문입니다. 내가 자주 말했듯이 여기 있다는 것, 단지 살아 있다는 것 자체가 성공을 의미합니다. 아무리 멀지 않더라도 여기까지 왔다면 그것은 성취입니다. 화씨 20도가 60도가 아니지만, 20도가 0이 아닌 것처럼 부정적인 성공일 수도 있습니다.

우리가 막 알기 시작한 마음의 기묘한 법칙이 몇 가지 있습니다. 그 법칙 중 하나는 "우리는 우리가 되고 싶은 대로 될 수 있다"는 것이고, 다른 하나는 "우리는 이미 그렇다고 확언함으로써 우리가 되고 싶은 대로 된다"는 것입니다.

마지막 문장은 그 자체로 모순되는 것 같지 않나요? 어떻게 자신이 이미 있는 것이 되기를 바랄 수 있으며, 어떻게 자신이 되고자 하는 것이 이미 될 수 있을까요?

얼핏 보기에는 자기 모순적이지만 실제 의미를 파악하면 그렇지 않습니다. "나 자신"은 잠재적 또는 표현되지 않은 자아를 가리키고, "되고 싶은 나"는 실제 또는 표현된 자아를 가리킵니다.

당신에게는 인생의 어떤 길에서, 특별한 소명에서, 독특하게 잘 어울리는 어떤 분야에서 위대해질 수 있는 잠재력이 있으며, 지금 당신에게는 펼쳐지기를 기다리는 새싹처럼 말려 있는 그 모든 것이 있습니다. "당신이 되고자 하는 것"이 바로 그것입니다.

새싹이 꽃처럼 펼쳐지는 것, 그것이 "당신이 되고자 하는 것"입니다. 이것이 충분히 명확하지 않나요?

따라서 당신은 자신이 되고 싶은 것이 무엇인지 완전한 진실로 확언할 수 있으며, 이 확언은 태양이 땅에 묻힌 씨앗에 작용하는 것과 마찬가지로 작용합니다. 태양은 씨앗을 밖으로 부르고 씨앗은 갈색 씨앗이 아니라 새로운 생명체로 나옵니다.

확언의 힘으로 당신은 자신의 이상에 도달하기 위해 새롭고 다양한 삶으로 자신을 계속해서 건설하고 재건축할 수 있습니다. 그러니 용기를 내십시오. 모든 병의 치유법은 당신 안에 있고, 당신이 하나님 안에 있기 때문입니다.

강의 V

우리가 생각을 끌어내는 광대한 창고가 있습니다. 그것은 인류 자체만큼이나 광대하며 우리 모두에게 열려 있습니다. 에머슨은 이 창고를 영혼의 창고(Over Soul)라고 불렀고, 이보다 더 좋은 용어는 없을지도 모르지만, 구분을 위해 저는 초의식(Super-Conscious Mind)이라고 부르겠습니다. 초의식과 잠재의식의 차이점을 보여드리고 싶어서 이렇게 부르는 것입니다.

특히 초의식이 무엇인지 아무도 모르기 때문에 이는 다소 어려운 작업입니다. 관찰과 경험을 통해 작용 방식에 대해서는 조금 알고 있지만, 의식과 잠재의식에 대해 우리는 거의 어둠 속에 있으며 초의식이 행동한다는 것조차 알지 못합니다.

일부 신비주의자들은 초의식이 실제(행위-실제) 또는 표현된 것과는 대조적으로 잠재적인 것 또는 표현되지 않은 것의 세계이기 때문에 행동하지 않는다고 말합니다.

그러나 나는 이런 종류의 문제는 실질적인 결과를 얻지 못한 채 영원히 논쟁될 수 있다는 것을 알았기 때문에 어떤 사변의 분야로 빠져들지는 않을 것입니다.

우리가 알고 싶은 것은 바로 이것입니다 - 초의식이 존재하는가? 그렇다면 우리는 그것과 어떤 관련이 있는가? 만약 그것이 창고이고 우리가 그것으로부터 무언가를 꺼낼 수 있다면 - 무엇을 어떻게 꺼낼 수 있을까?

어떤 생각이 떠오릅니다. 그것은 어디에서 오는 것일까요? 다른 마음에서? 네, 아마도요. 하지만 처음에 그것은 어디에서 왔을까요? 동전은 유통 과정에서 손에서 손으로 옮겨지기도 하지만 원래는 조폐국에서 만들어졌습니다. 더 거슬러 올라가면 광산에서 나왔고, 한 단계에서는 에테르 형태였을 수도 있지만, 어쨌든 지금은 유통되고 있습니다. 나는 동전을 손에 쥐고 있습니다. 동전은 다른 손에서 나에게 왔지만, 그 다른 손은 그것을 만들지 못했습니다. 단순히 전달했을 뿐입니다.

우리의 생각은 비슷한 방식으로 서로에게 전달되지만, 그렇다고 해서 그 근원을 설명할 수는 없습니다. 생각은 처음에 어디에서 왔을까요? 그것은 초의식으로부터 나옵니다. 그것이 의식으로 태어나기 전에 어떤 상태였는지는 우리가 알지 못하며 중요하지도 않습니다. 중요한 것은 우리가 이러한 생각을 얻고 그것이 우리의 건강과 행복을 위해 올바른 종류의 생각이라는 것이 증명된다는 것입니다. 우리는 삐걱거리고 신음하다가 마침내 완전히 멈추는 대신 삶의 기계에 동력을 공급하고 즐겁게 노래하면서 속도를 낼 수 있는 무언가를 원합니다.

우리는 창고에서 원하는 것이 무엇인지 잘 알고 있지만 그것을 얻을 수 있을지 의심하는 지성의 경지에 도달했습니다. 의심은 우리의 노력을 마비시키고 우리가 원하는 것을 얻으려고 노력하지 않습니다. 우리는 생각이 끊임없이 떠오른다는 것을 알고 있지만, 그 생각은 예측이 어려운(hit or miss) 방식으로 오는 것 같습니다. 그에 대한 어떤 법칙도 없는 것 같습니다.

아, 그것은 우리가 저지른 실수일 뿐입니다. 법칙이 있습니다. 우리에게 떠오르는 모든 생각은 하나의 화학 원자가 다른 원자에 끌리는 것처럼 틀림없이 끌어당겨집니다.

생각은 마음과 관련 있고 그 생각을 끌어당기는 무언가가 존재하기 때문에 마음에 끌어집니다. 첫 번째 무언가가 두 번째 무언가를 끌어당기기 위해 어떻게 거기에 왔는지 묻으려고 처음으로 돌아가지는 않겠습니다. 그것은 왜 당신이 다른 사람이 아니라 당신인지 묻는 것과 같을 것이기 때문이며, 소테른이 말했듯이 그것은 누구도 알아낼 수 없는 것 중 하나입니다.

아니, 우리는 있는 그대로의 마음에서 시작하여 초의식 창고와 그 내용물로 무엇을 하는지 살펴볼 것입니다. 마음은 이 창고에서 끌어내고 법칙에 의해 끌리는 것을 끌어당깁니다.

생각이 예술에 관한 것이라면 예술과 관련된 것을 끌어옵니다. 음악에 관한 것이라면 음악과 관련된 것을 끌어옵니다. 어떤 일을 하기로 결심하고 생각을 그곳에 집중하면, 그는 초의식으로부터 계속해서 새로운 저장소를 끌어내는 것입니다.

예전에는 각 사람에게 일정한 양의 재능이나 천재성이 있고 그 이상으로는 갈 수 없다고 생각했습니다.

그러나 새로운 생각, 정말 축복받기도 한 생각은 그런 원망의 시간이 주어지지 않고, 원하는 사람에게는 그런 균형이 영원히 멀어진다는 것입니다. 아니, 한계는 사라지고 인간은 무한한 공급의 열린 문 앞에 서 있다는 것을 알게 됩니다.

누군가가 “내 인생의 소망은 예술가가 되는 것이지만, 지금 시작하기에는 너무 늙었다”고 말하는 것을 들을 때면, 나는 50살이 되어서 공부를 시작해서 60살에 아주 훌륭한 예술가가 되신 어머니가 생각납니다.

성취를 향한 열망이 강렬하다면 나이와 단점에 관계없이 할 수 있습니다.

마음의 소망이 병자를 치유하는 것이라면, 그것은 당신 안에 숨겨진 어딘가에 그것을 할 수 있는 힘이 있다는 것을 보여줍니다. 초의식에 마음을 열고 그 흐름이 당신과 연합하여 당신의 힘을 펼칠 수 있는 흐름이 들어오게 하십시오.

우리는 항상 초의식에 열려 있지만 의지의 행동으로, 수용하고자 하는 마음으로 수용력을 높일 수 있습니다. 또한 의지의 행동으로, 재배하고자 하는 화단 외의 모든 잡초를 제거하는 것처럼 우리의 목적에 불필요하거나 이질적인 모든 것을 마음에서 배제할 수 있습니다.

치유의 생각은 초의식으로부터 내려오기 때문에 그 아름다운 말의 힘은 대단합니다.

“자, 치유의 힘이 내면에서 내려와 열이 오른 뇌를 진정시키고 슬픔에 잠긴 신경에 평화를 퍼뜨린다.”

정신적으로 또는 육체적으로 심한 고통을 겪고 있다면, 이 말을 반복하며 치유의 힘이 내려오기를 간절히 바라세요. 그런 다음 기다리면서 그렇게 될 것이라고 충분히 기대하세요. 치유력이 내려오면 열이 오른 뇌에 부드럽게 내리는 소나기처럼 느껴질 것이며, 하늘의 작은 평화의 물줄기가 문제 있는 신경을 따라 흐르며 슬픔을 가라앉혀줄 것입니다.

실제적이고 반복적인 경험을 통해 이것이 사실이라는 것을 알고 있습니다. 독자들은 스스로 증명하기만 하면 됩니다.

초의식은 신의 영역이라고 믿습니다. 그렇다면 그 근원에서 걱정, 증오, 부정직한 생각이 우리에게 오는 일이 어떻게 일어나는 것일까요?

그렇지 않습니다. 조폐국에서 새롭고 밝은 새 동전이 나오면 오랫동안 유통되어 닳고 변색된 동전과는 완전히 다릅니다. 우리가 초의식에서 얻는 생각은 그 출처에서 직접 왔기 때문에 순수하고 깨끗합니다. 그러나 그들은 우리의 의식 마음을 통과할 때 우리의 생각의 빈도와 조화를 이룹니다. 만약 우리가 걱정, 증오, 부정직의 생각을 빈번히 갖는다면, 그런 생각이 초의식에서 나오는 생각을 색칠할 것입니다.

따라서 우리에게 오는 모든 생각을 관찰하고 선택하는 것이 중요합니다. 우리가 초의식에서 얻는 생각은 항상 우리의 최고의 이익을 위해 작동합니다. 그러나 우리의 의식 마음에서 나오는 생각은 그렇지 않을 수도 있습니다. 따라서 우리는 우리의 생각을 관찰하고 선택하고, 우리의 의식 마음을 초의식과 조화시키기 위해 노력해야 합니다.

그러나 이 비유는 불완전하므로 더 이상 따르지 않겠습니다. 초의식의 유입에 마음을 여는 것이 무엇을 의미하는지 물질적인 예시로 전달할 수는 없습니다. 그것은 생각의 신선함, 풍부함, 충만함을 의미합니다. 새로운 목적이 솟구치고 활력이 넘쳐나는 것을 의미합니다. 친구여, 그것은 모든 선하고 즐거운 것을 의미합니다.

이렇게 새로워지고 거듭난다면 병든 채로 있을 수 없습니다. 풍요의 흐름에 열려 있다면 가난해질 수 없습니다. 사랑과 기쁨의 밀물을 받으면 불행한 상태로 남아 있을 수 없습니다.

이 공급원에서 끌어오기 위한 노력에 모든 힘을 집중하세요. 원한다면 기도하세요. 왜 안 될까요? 기도는 '말하거나 표현하지 않는 영혼의 진실한 소망'입니다.

당신은 오직 좋은 것만 원합니다. 당신이 덜 원한다면 그것은 당신의 성장하는 지성의 실수일 뿐이며 곧 바로잡힐 것입니다. 당신은 오직 선만을 원하며, 그것은 초의식 속에 존재하며 당신의 부름을 기다리고 있습니다. 인생의 가장 풍요로운 보물이 바로 문 앞에 있는데 어떻게 자신을 아프고 비참하다고 생각할 수 있습니까?

신사고(The New Thought)는 지나간 시대의 낡은 진부한 생각, 즉 거의 가치가 없을 정도록 얇아진 낡은 동전과 같은 사상을 다루지 않기 때문에 당신을 돕고 있습니다. 그것은 조폐국에서 나온 새로운 동전을 당신에게 나누어 주며 새로운 진리를 보여주고 있습니다. 왜냐하면 진리는 언덕만큼이나 오래되고 오래되었지만, 이제는 새로운 진리가 제시되고 있기 때문입니다. 그것은 지금까지 발견되지 않은 법칙을 알려주고 있으며, 이를 통해 모든 면에서 당신의 삶을 개선하고 이상화할 수 있습니다. 또한 이러한 법칙을 적용하는 방법과 매일 적용 결과를 보여주는 방법을 보여줍니다. 그것은 당신에게 세상에 대한 명확한 비전을 제시하고, 당신이 살아야 할 모든 것이 있다는 것을 보여줍니다. 늙음과 죽음은 현실의 그림자도 없는 거짓 믿음의 유령임을 증명하고 있습니다. 그것은 당신의 영혼을 공포로 가득 채우고 혈관의 피를 차갑게 만든 삶의 모든 벌레를 하나씩 제거하고 있습니다. 그것은 당신에게 무한한 성취의 힘이 있다는 것을 증명하고 있습니다. 그것은 이 모든 일을 하고 더 많은 일을 하고 있습니다.

신사고는 초의식으로 이어지는 문을 활짝 열어 원하는 사람은 누구나 들어갈 수 있습니다. 거지처럼 문 앞에 누워 징징거리지 마십시오. 일어나서 보라색과 고운 침구를 입으십시오. 모든 사람이 초의식의 왕국에 들어가는 왕자이기 때문입니다.

강의 VI

사람들이 내게 멘탈 힐링이 어떻게 이루어지는지 물어보면, 베토벤의 소나타 파토티크 연주법을 묻는 것만큼이나 대답하기가 어렵다는 것을 알게 됩니다. 둘 다 너무 많은 것을 포함합니다. 둘 다 모두 세부적인 요소들이 질서정연하게 차례로 쌓여 만들어지며, 그 구성이 무엇을 의미하고 어떻게 완성되는지 알기 위해서는 세부적인 요소를 추적해야 합니다.

멘탈 힐링에서 이러한 세부 사항은 치유 진동이 나올 수 있는 상태에 도달할 때까지 차례로 이어지는 정신 상태입니다. 이제 나는 이러한 상태 중 일부를 내 의식을 바탕으로 설명하고, 다른 사람이 어떻게 하는지가 아니라 내가 어떻게 치유하는지 말씀드리겠습니다. 나는 전문 분야 전체 또는 그 어떤 분야도 후원할 의도가 없으며, 단순히 나 자신만을 후원할 것입니다.

경험에 앞서 직관적 또는 초월적인 지식이 있다는 것을 알고 있으며, 개인적인 경험을 통해 검증되고 실용화된 후에도 동일한 지식이 있습니다. 이번 강의에서 전달하고자 하는 것은 후자입니다. 처음부터 내 경험을 전달하기 위해 멘탈 힐링에 대해 처음 들었을 때로 돌아가겠습니다.

시카고에서 에디 운동이 처음 알려지기 시작했을 때였습니다. 많은 친구들이 관심을 보였지만, 나는 정신적으로나 육체적으로나 비참한 상태였음에도 불구하고 전혀 관심이 없었습니다. 어느 날 한 크리스천 사이언티스트가 내가 하숙하던 곳에서 점심을 먹었는데, 그녀는 식탁에 앉은 모든 사람을 개종시키려고 애를 썼고, 나는 식사 내내 조용히 경멸감만 느꼈습니다. 그녀가 일부 성공했다고 생각하지만, 그녀는 나에게 철저한 적대감만 불러일으켰을뿐입니다. 한두 번은 그녀와 시선이 마주쳤습니다. 차갑고 응시하는 눈빛에 인간적인 관심이 전혀 없는 눈빛이었습니다. 그것은 깊이가 없는 눈이었고, 나중에 나는 그것이 "필멸자의 마음"이라는 환상에서 완전히 벗어나 "신성한 마음"과 하나가 되었을 때의 효과라고 들었습니다. 이것은 크리스천 사이언스를 비난하려는 것이 아니라 일부 제자들이 그 원리를 적용하는 데 실수하고 있음을 보여주기 위한 것입니다.

하지만 말했듯이, 나는 그녀의 눈을 잡았지만 즉각 다시 놓아 주었습니다. 그녀의 시선을 붙잡고 싶지 않았습니다. 왜냐하면 그것은 나를 떨게 만들었고, 그 눈 뒤에 저장된 무언가에 의해 다시 건강하게 부름을 받느니 차라리 죽는 것이 낫다는 생각이 들었기 때문입니다.

나는 또한 그녀의 백설공주 머리와 주름을 비판적으로 보았고, 크리스천 사이언스의 원칙을 잘 모르는 나는 그녀가 신성한 현현의 깃털 단계에 있다는 것을 이해하지 못했습니다. 왠지 그녀의 말과 외모가 너무 격렬하게 모순되어서 진정으로 그 불쌍한 생물이 약간 미쳤다고 느꼈습니다. 하지만 그 사건은 내게 깊은 인상을 남겼고, 몇 년 후 멘탈 힐링 연구에 관심을 갖게 되었을 때의 경험에 유용하게 쓰였습니다. 그 후 나는 그 눈빛의 기묘한 영향력을 기억하고, 공감을 잃을 정도로 인간에게서 너무 멀어지지 않겠다고 결심했습니다. 그러다 보니 자연스레 다른 극단으로 향하게 되었고, 나는 또 너무 많이 베풀어서 고갈되어 버렸습니다. 환자들은 살이 찌고 장밋빛으로 변해가지만 나는 마르고 창백해졌습니다. 그러다가 내 실수를 깨닫고 조금씩 고통에 대한 사랑과 동정심으로 마음을 열면서도 내 지성은 그 고통의 환상적인 본질을 명확하게 보고 그 고통이 진정한 존재에 자리를 둘 수 없다는 것을 배웠습니다.

그러나 시카고 사건으로 돌아가서, 그것은 확실히 멘탈 힐링이 가능한 의식 상태를 구축하는 데 필요한 세부 사항 중 하나였습니다. 당시에는 그저 불쾌한 에피소드에 불과했습니다. 하지만 지금 돌이켜 보면 훨씬 더 큰 의미가 있습니다. 그것은 정말로 멘탈 힐링에 대한 나의 첫 번째 교훈이었고 나는 그것을 몰랐습니다.

시간이 지날수록 내 건강은 점점 더 나빠졌고, 모든 자원이 소진될 때까지 정신 치료를 받으라는 설득을 받았고 천천히, 아주 천천히 건강과 힘을 되찾았습니다. 그때 나는 완전히 관심을 갖게 되었고 이 주제에 대해 철저히 연구하기로 결심했습니다. 관찰을 통해서 나는 치유가 한 학교나 한 가지 방법에 국한되지 않는다는 것을 알게 되었고, 따라서 저는 모든 것의 근간이 되고 모두에게 공통된 어떤 일반적인 원칙이 있어야 한다고 추론했습니다. 그것이 무엇일까요? 어떻게 찾아야 할까요? 나는 항상 희망과 확신을 가지고 계속 공부했지만, 여러 선생님들의 혼란스러운 주장이 뒤섞여 종종 혼란스러웠습니다.

치료적 가치 때문이 아니라 오컬트 법칙에 대한 설명 때문에 나는 신지학에 빠졌습니다. 그런 다음 최면술, 정신적 암시, 신앙 치료, 기독교 치유, 신성 과학, 크리스천 사이언스, 정신 과학, 그리고 사실 내 하나의 주제와 관련이 있는 모든 것을 흡수했습니다. 나의 열정이 너무 커서 낮 시간은 내 목적에 비해 너무 짧아 보였고, 밤의 긴 시간을 내 서비스에 밀어 넣었습니다. 그리고 이상하게도 잠자는 시간보다 깨어있는 시간이 더 편안하다는 것을 알았습니다.

마침내 내게 새롭고 놀라운 경험을 안겨준, 결코 잊지 못할 밤이 찾아왔습니다. 완전히 깨어서 문제를 생각하던 중 갑자기 방 한가운데에 서 있는 것을 발견했습니다. 내 육체는 침대에 누워 있었고, 나는 실물처럼 보이는 모습으로 서 있었습니다. 팔은 옆구리에 매달려 있었고, 팔을 들었다가 접을 때 내 몸의 실제 저항과 팔의 압력을 느꼈습니다. 그래서 나는 생각했습니다. 이것은 어떤 종류의 자아일까? 영적인 몸일 수 있을까? 확실히 내가 생각한 영과 같지는 않았습니다. 바로 그때 전에 본 적이 없는 특이한 색깔의 깊고 아름다운 붉은색의 세 혀 불꽃이 왼쪽 관자놀이 가까이 나타났습니다. 그때 나는 자의가 아니라 마치 무언가가 나를 통해 말하는 것처럼 '이것이 치유의 힘이다'라고 말하는 것을 들었습니다. 그러자 불꽃이 더 가까이 와서 내 관자놀이를 만졌습니다. 순간적으로 전깃불처럼 보이는 무언가의 큰 전율이 머리부터 발끝까지 나를 관통했습니다. 그것은 내가 전에 알지 못했던 놀라운 생명의 물결과 같았습니다. 나는 이것이 생명 그 자체라고 생각했습니다. 나는 생명 만졌습니다. 나는 전에 죽어본 적이 있었고 처음으로 생명이 어떤 느낌인지 알았습니다.

그러다 갑자기 다시 몸으로 돌아와 침대에 누웠는데 똑같은 파도가 나를 통과하고 있었습니다. 몇 시간 동안 나는 그 이상한 경험을 생각하며 깨어 있었고, 그 시간 동안 죽음에 대한 모든 두려움이 영원히 나를 떠나갔습니다. 실제로 나는 죽음이라고 불리는 것을 겪은 것처럼 보였고, 육체보다 더 현실적인 영적인 몸으로 나온 것 같았습니다.

이것은 꿈이나 환상이 아니었습니다. 그것은 실제적이고 생생한 경험이었으며, 나는 이 글을 쓰는 지금 이 순간에도 완전히 깨어 있었습니다.

게다가 그 경험은 내 의식에 변화를 가져왔고, 그 이후로 나는 결코 예전과 같지 않았습니다. 또한 신체 조건도 바뀌었습니다. 몸과 마음이 모두 새로운 생명체처럼 느껴졌습니다.

그 후 나는 이러한 의식의 변화가 발달 경로를 따라 간격을 두고 일어나며, 원시 생명체가 인간의 마음을 이해하거나 들어갈 수 없는 것처럼, 초기 상태에서는 후기 상태를 이해하는 것이 불가능하다는 것을 알게 되었습니다. 그 차이는 그렇게 크지 않을 수도 있지만 실제로는 매우 크며, 각각의 진보는 마치 갑자기 새로운 존재의 질서로 들어 올려지는 것처럼 느끼게 합니다.

이 모든 것에서 가장 이상한 점은 맹목적이고 실수로 아무데도 이어지지 않는 것처럼 보이는 길을 가더라도 더 높은 전개의 장소에 가까워지고 있다는 것입니다. 목적이 진지하고 성실하기만 하다면, 구하는 자는 얻고야 말 것입니다.

초보자에게 설명하기 어려운 것은 나중에 오는 의식 상태입니다. 진동이 너무 높아서 치유의 말을 할 필요가 없는 상태가 있습니다. 예수님은 때때로 옷자락에서조차 치유의 힘이 발산되는 이 상태에 있었습니다. 어떤 때는 말씀을 하실 필요가 있었습니다. 그분이 더 높은 상태에 계셨을 때 그는 그리스도 의식 속에 계셨으며, 그 상태는 우리가 "내가 하는 일을 너희도 할 것이다."는 그분의 말씀을 믿는다면 우리 중 누구에게도 너무 높은 것이 아닙니다.

오늘날 당신의 정신적 하늘이 회색이고 수년 동안 이 상태에 있었기 때문에 앞으로도 항상 그렇게 지속되어야 한다고 생각하지 마십시오. 내가 말하는 것을 믿으십시오. 당신은 자신의 마음 안에서 새로운 세계로 차례로 들어갈 수 있으며, 앞선 세계보다 더 아름답고 밝은 세계를 찾을 수 있습니다.

지난 강의에서 나는 치유의 힘이 시원한 소나기처럼 내려오는 것으로 말했고, 이번 강의에서는 그것을 불로 표현했습니다. 이것은 불일치처럼 보이지만 그렇지 않습니다. 나는 불이라는 단어를 우리가 물질적 의미로 이해하는 열을 나타내는 것이 아니라 활력, 생명의 개념을 전달하기 위해 사용합니다. 전깃불은 일반적인 의미의 불과는 상당히 다른 의미인 것 같습니다. 예를 들어, 전깃불은 매우 활성화될 수도 있지만 시원한 소나기처럼 식어버릴 수도 있습니다.

우리는 영적인 것에 적용하는 용어를 물질세계에서 문자 그대로 받아들여야 하지만, 내면의 생명에 깨어나고 있는 마음은 항상 상징적인 용어를 넘어서 진정한 현실에서 그 자체를 알 것입니다.

의식 속에서 새로운 세계로 차례로 들어갈 때, 현재 상태를 되돌아보고 어떻게 당신이 그 경계 안에 갇혀있을 수 있었는지 놀랄지도 모릅니다. 어디선가 푹신한 병아리가 깨진 껍질을 내려다보며 이렇게 말하는 예쁜 그림을 본 적이 있습니다. "내가 이걸 깨고 나왔다는 거야?" 지금 당신이 처한 정신 상태도 언젠가는 깨진 껍데기가 될 것이고, 당신은 그것을 의심스럽게 내려다보며 "내가 이걸 깨고 나온 거야?"라고 말할 것입니다.

강의 VII

멘탈 힐링에 관심을 갖기 시작했을 때, 나는 그것이 산수, 지리, 화학 또는 우리가 일반적인 교육 과정에서 추구하는 다른 학문처럼 습득할 수 있는 것이라고 생각했습니다. 문법이나 수학에서 찾을 수 있는 규칙을 얻을 수 있을 거라고 예상했죠. 치유를 달성할 수 있는 이러한 규칙이나 정확한 방법을 찾기 위해 여러 과정을 수강했습니다. 물론 실망했습니다. 비밀은 공개되어 있을지도 모르지만 기다리는 나의 눈에는 어디에도 드러나지 않은 것 같았습니다. 각각의 작가들은 실용적인 정보를 제공하기보다는 내 생각에 혁명을 일으키는 데만 열중하는 것처럼 보였습니다. 그래서 수학 공식처럼 확실한 무언가를 손에 쥐고 싶었고, 합계를 계산하듯이 증명할 수 있기를 바라던 나는 조바심이 나지 않을 수 없었습니다.

친구들이여, 모두 같은 것을 찾고 있으리라 생각합니다. 하지만 지금 당장 그것을 찾지 못할 것이라고 말하고 싶습니다. 정신적 치유는 순전히 기계적인 방법으로 할 수 없는 일이기 때문에, 케이크를 만들거나 의사의 처방을 받는 것처럼 누구도 규칙에 따라 멘탈 힐링을 하는 방법을 알려줄 수 없습니다. 이런 의미에서 멘탈 힐링은 과학이라기보다 예술에 더 가깝습니다. 확실히 과학은 예술의 기초이며 과학 없이는 예술이 불가능하지만, 과학은 기계적이고 냉정하게 정확한 반면 예술은 영적이고 창의적이며 자유롭습니다. 오직 자신의 법칙에만 얽매여 있는 예술은 대담하게 과학을 포기하고 뛰어넘습니다. 겉으로는 지지대가 없어 보이지만, 중력에 대항하고 지구와 하늘 사이에 균형을 잘 유지하는 내면의 힘을 가지고 있습니다.

학생에게 안료 혼합, 원근법, 붓 다루는 법을 가르칠 수는 있지만, 이 모든 것이 예술가로 만들지는 못합니다. 왜냐하면 내면에 영적이고 창조적인 힘이 없다면, 그는 모든 가르침에도 불구하고 기계적인 얼룩만 만들어낼 것이기 때문입니다.

멘탈 힐링 예술의 모든 최고 교사들이 기계적인 규칙을 제공하는 대신, 내면의 정신을 깨우려고 노력하는 것은 바로 이 원칙에 기반합니다. 그들은 아무것도 이루지 못하는 것처럼 보일지 모르지만, 필요한 한 가지 일을 하고 있습니다.

예를 들어, 자신과 주변 세상과의 관계에 대해 잘못된 생각을 가지고 있다면, 그 생각은 반드시 바뀌어야 합니다. 이것은 당신을 불안하게 하고 한동안 마음이 찢어지는 느낌을 줍니다. 새로운 씨앗을 심기 위해 당신의 정신적 토양이 갈아엎어지고 있으며, 그 동요가 마음에 들지 않을 수도 있지만, 반드시 필요한 일입니다.

갈고 심는 것은 기계적인 부분이며 과학이 들어오는 곳이지만, 조금 후에 예술이 생겨나서 그대로 창조됩니다. 그렇지 않다면 씨앗은 죽은 것이나 다름없습니다. 새 생명이 생기기 전까지는 쟁기질이나 심기가 잘 되었다는 증거가 없기 때문입니다.

심리학자들은 관념이 지배적인 관념을 지배자로 삼아 마음 안에서 스스로 조직화된다고 말합니다. 이것은 특정한 의식 상태를 만들어냅니다. 그러나 외부 정부에서와 마찬가지로 때때로

통치자가 폐위되는 것처럼, 내면 사상 세계의 정부도 마찬가지입니다. 지배적인 아이디어가 퇴출되고 새로운 지배적인 아이디어가 그 자리를 차지합니다. 상상할 수 있듯이 이것은 한동안 혼란과 무질서를 야기하지만 궁극적으로 새로운 질서로 이어집니다. 이 새로운 질서는 의식의 변화이며, 그러한 변화가 있을 때마다 새로운 진동 작용이 함께 일어납니다. 우리 각자에게서 보이지 않는 흐름이 항상 흐르고 있으며 그것이 우리 존재의 총합입니다. 그것은 우리가 변화함에 따라 변화하며, 가장 민감한 사람을 제외한 모든 사람에게 보이지 않고 무형적이지만, 우리의 그 어떤 부분만큼이나 실제적입니다.

많은 분이 아시다시피 이 진동하는 흐름은 인간 오라(human aura)라고 불립니다. 얼마 전 애니 베산트 여사가 우리나라에 왔을 때, 그녀는 이 오라가 다양한 정신 상태에서 어떻게 나타나는지 보여주는 사진을 전시했습니다. 건강할 때는 몸에서 곧게 뻗은 선이 보였습니다. 질병에 걸리면 이 선들이 처지고 혼란과 무질서한 상태로 얽혀 있었습니다. 분노에 휩싸였을 때는 갈래로 갈라진 번개처럼 보였고 섬뜩한 색을 띠었습니다. 평화와 사랑 속에서는 부드럽고 아름다운 장밋빛을 띠며 부드럽게 물결쳤습니다.

이 사진들이 실제로 오라의 존재를 증명하지는 않지만, 그러한 것이 존재할 수도 있다고 추측하는 것은 타당해 보였습니다. 얼마 후 언젠가 증거가 될만한 무언가가 나를 찾아왔습니다. 그것은 내가 강신술을 조사할 때 찾아왔습니다. 나는 뉴욕에 있는 훌륭한 영매에 대해 들어본 적이 있었고, 친구 두 명과 함께 그의 집회에 갔습니다. 우리는 그 매체에 대해 전혀 알지 못했고, 우리가 처음 참석한 집회였습니다. 우리를 포함해 열일곱 명만 참석했고, 우리는 반원 또는 일종의 말발굽 모양으로 앉았고, 영매는 열린 끝에 앉았습니다. 영매는 테스트를 할 때 각 사람을 번호로 지정했습니다. 그는 테스트를 계속했지만, 우리 파티에는 테스트를 하지 않았습니다. 이 모든 것이 신봉자들을 모으기 위해 영매와 다수의 동조자들에 의해 미리 준비된 것이라고 생각하기 시작했을 때 놀랍게도, 집회 내내 강한 빛 속에서 눈을 감고 앉아 있는 영매가 내 번호를 불렀습니다. 내 번호가 불리고 나는 "저 말인가요?"라고 대답했습니다. 영매는 이렇게 말했습니다. "네, 당신 말입니다. 당신은 마음을 통해 사람들을 돕습니다. 나는 당신에게서 힘으로 가득 찬 직선이 나오는 것을 봅니다. 당신은 건강, 힘, 기쁨을 가지고 다니며, 당신이 생각을 돌리는 어떤 방향으로든 그러한 것들이 당신에게서 나옵니다.

이런 직선은 태양 광선을 생각나게 합니다. 정말 밝고 생기가 넘치는군요. 당신은 사람들을 너무 많이 도와서 누구나 당신이 오면 기뻐하고 당신이 가면 슬퍼할 것입니다. 그리고 당신은 존재만으로도 충분하기 때문에 한마디도 할 필요가 없습니다. 침묵할 때에도 당신의 빛은 나가서 사람들에게 새로운 생명을 불어넣으니까요."

멘탈 힐링 분야에서 내가 하는 일에 대해 전혀 알지 못하는 완전히 낯선 사람에게서 나온 이 말은, 우리의 정신 상태는 눈에 보이지 않더라도 다른 사람들이 느낄 수 있는 오라를 생성한다는 강력한 증거로 보였습니다.

나중에, 나는 또 다른 증거를 얻게 되었습니다. 내 초기 열정에서 비롯된 이 강한 선들은 그 힘을 잃고 내 주변에 혼란을 일으킬 운명이었고, 절망의 어둠 속에서 나는 그것들이 영원히 무너졌다고 생각했습니다. 남편이 사흘간의 격렬한 투병 끝에 세상을 떠났을 때였습니다. 건강해 보이던 그는 폭풍우의 경로에 있는 큰 나무처럼 갑자기 쓰러졌고, 나도 같은 힘에 의해 넘어져 아무것도 할 수 없었습니다. 남편을 잃은 것 외에도 정신적 치유에 대한 나의 믿음이 영원히 사라진 것 같았기 때문에 이것은 힘든 경험이었습니다. 나는 여전히 그것을 믿었지만, 그것은 다른 사람들을위한 것이지 나를 위한 것은 아니라고, 나는 결코 다시 시작할 수 없을 거라고 말했습니다. 삶은 공허했고, 나에게는 단 하나의 생각, 하나의 소망만 있었습니다. 그것은 사랑하는 사람이 숨어있는 베일 너머에서 어떤 말이든 듣고 싶다는 것이었습니다. 그 생각에 몰두하여 나는 다시 뉴욕의 영매를 찾아가 개인 상담을 받았습니다. 그의 첫 마디는 "오, 무겁다, 무겁다, 무겁다! 내가 너에게 날개를 줄 수 있다면 너는 이 모든 것에서 벗어날 수 있을 텐데, 얼마나 큰 선물이 될까, 그렇지 않니?"였습니다. 그는 더 이상 내게서 나오는 직선이나 태양 광선에 대해 말하지 않았습니다. 모든 것이 어둡고 무겁고 불협화음적이고 우울했습니다. 이것은 내 오라가 어떻게 변했는지를 보여주었지만, 그런 상태로 계속 유지되지는 유지되지 않았습니다.

남편이 사망한 직후 한 친구가 찾아와 살균기에 너무 오래 방치된 우유에 중독된 아이를 치료해달라고 요청했습니다. 아이는 녹색 점액을 토하고 있었고 매우 위험한 상태였습니다. 나는 무거운 눈꺼풀을 올리고 그녀를 바라보며 이렇게 말했던 기억이 납니다. "OO, 어떻게 그럴 수 있겠어? 내가 세상에서 가장 구하고 싶었던 사람을 이미 잃었는데 어떻게 네 아이를 도울 수 있겠니? 아니, 나는 힘을 잃었기 때문에 다시는 누구도 치유할 수 없어."

하지만 내 친구는 계속해서 나를 설득했습니다. 그녀는 내가 이전에 그 아이를 위해 해온 일을 상기시키며 마지막으로 말했습니다. "노력만 하면 힘이 돌아올 수도 있을 거야." 그리고 간절한 눈빛으로 나를 쳐다보며 큰 눈물을 흘리며 말했습니다. "제발 시도라도 해줘."

결국 나는 마지못해서 모자를 쓰고 그녀와 함께 가기로 했습니다. 아이를 품에 안았을 때, 나는 완전한 무감각함을 느꼈습니다. 고통을 겪고 있는 가련한 것에 대한 연민조차도 없었습니다. 이상한 일이었습니다. 왜냐하면 내 동정심은 항상 빠르고 부드러웠고 내 안에서 훨씬 더 큰 부분을 차지했기 때문이었습니다. 하지만 이 모든 무감각 아래에는 아이를 돕기 위한 작고 희미한 노력이 있었습니다. 이것은 내 안에서 점점 더 커졌고, 갑자기 나는 큰 생명의 흐름을 느꼈고, 그 순간 치유의 힘이 돌아왔습니다. 몇 분 후에 나는 아이를 침대에 눕혔고 아이는 다시 깊이 잠이 들었습니다. 아이는 완전히 치유되었습니다.

내가 잃었다가 되찾은 오라는 처음에나 마지막에나 똑같이 실제적인 것이었고, 단순한 열정의 유출이 아니었습니다. 그것은 내가 생각하고 경험한 것에서 비롯되었지만, 그 생각과 경험은 그 기운을 영구적으로 지속할 만큼 충분히 깊지 않았습니다. 질병이 내 집에 들어와 내가 가장 소중히 여기는 사람을 공격했을 때 나는 침착하고 자기 중심을 유지할 수 있는 의식 단계에 이르지 못했습니다. 한 위대한 의사의 말이 생각납니다. "그는 다른 사람은 구했지만, 그 자신은 구할 수 없었다." 오늘날의 치유사들에 대해서도 똑같이 말할 수 있습니다. 우리는 다른 사람들을 구하지만, 종종 우리 자신과 애정의 깊은 유대감으로 묶여있는 사람들은 구할 수 없습니다.

그러나 우리는 그것을 해야 하며, 해낼 것입니다. 몇 년 전 의사들이 여동생을 치료함으로써 나는 그 힘을 증명했습니다.

그러나 우리에게 가까운 사람들을 성공적으로 치료하려면 우리 자신이 개별화되어야 합니다. 우리는 스스로를 자유롭게 해방하고 사랑하는 사람들도 자유롭게 놓아주어야 합니다. 우리는 그들이 우리에게 씌운 멍에와 우리가 그들에게 씌운 멍에를 제거해야 합니다. 우리가 배워야 할 가장 어려운 교훈은 사랑하는 사람들이 우리가 원하는 대로가 아니라 그들 자신의 삶을 살도록 놓아주는 것입니다. 우리는 그들의 행복을 원하지만, 항상 그들의 방식이 아닌 우리의 방식으로 행복을 원합니다. 물론 부모는 일정 기간까지는 자녀에 대한 일정한 감독권을 행사해야 하지만, 그 이상으로 확장해서는 안 됩니다. 자녀에게는 자신만의 경험이 필요하기 때문에 항상 당신의 경험으로 자녀를 보호할 수는 없습니다. 비록 탕자처럼 방황하며 껍질을 먹고 살더라도 자유롭게 내버려 두십시오. 언젠가는 좋은 것들이 가득한 아버지 집으로 돌아올 것입니다.

그리고 이 모든 사랑의 스파이 활동은 잘못된 믿음, 즉 우리를 돌보고 우리의 노력을 채울 수 있는 개인적인 마음 너머에는 아무것도 없다는 믿음에서 비롯됩니다. 하지만 이 일을 할 수 있는 것은 무엇일까요? 바로 '최고의 지성'이라고 부를 수 있는 무언가입니다. 친구가 내게 와서 자신의 아이를 치료해 달라고 부탁했을 때 어떻게 효과가 있었는지 모르시겠습니까? 그 친구가 내게 와서 감동을 주었고, 그 감동을 통해 내가 상실감과 실망, 우울증에서 벗어나 내 이상을 실현할 수 있는 유용한 삶으로 이끌린 것을 보지 못했습니까?

자, 오해하지 마십시오. 이 최고의 지성은 우리 밖에 있는 별개의 존재가 아니라 우리와 하나입니다. 그것이 우리와 하나가 아니라면 어떻게 우리 안에 있고 우리를 통해 그렇게 행동할 수 있을까요?

그리고 나는 자주 듣는, "인간은 최고 지성의 일부이다"라는 표현을 좋아하지 않습니다. 무언가의 일부가 된다는 것은 나에게는 전체성의 부족, 약함, 불완전함, 전체와의 분리를 의미합니다.

내 영혼은 "내가 전체가 될 것을 요구합니다. 또한 당신 역시 전체가 될 것을" 요구합니다. 내가 당신이나 나를 위해 이것보다 더 적은 것을 받아들일 때마다 우리 둘 다 피그미로 줄어드는 것 같습니다. 우리는 너무 작아지고 약해지고 무력해져서 우리가 존재하거나 말할 가치가 있는 일을 할 수 있다는 희망이 없습니다.

하지만 정말 수수께끼 같지 않나요? 어떻게 나는 나이고 당신은 당신일 수 있으면서도 우리 각자가 존재하는 모든 것일 수 있을까요?

감각에 어떤 식으로든 나를 드러낼 때 나는 나이고, 감각에 당신을 드러낼 때 당신은 당신일 뿐입니다. 드러나는 것의 이면에 있는 우리는 전혀 다른 존재이며, 우리가 하나라는 것은 바로 그곳에 있을 뿐 그 어디에도 없습니다. 즉, 커튼 뒤에는 모든 것이 하나이며, 자신을 표현하기 위해 아직 분리되지 않았기 때문입니다.

어딘가에 출구가 없는 큰 수역이 있다고 가정해 봅시다. 그러면 그것은 모두 하나입니다. 그러나 여기저기 출구를 내면 흘러나오는 각 물줄기는 전체에서 분리되는 동시에 전체에서 흘러나오게 됩니다. 각 물줄기가 생각할 수 있다면 아마도 두 가지 방식으로 자신을 생각할 것입니다. 하나는 별도의 물줄기로, 다른 하나는 원천에서 나오는 물줄기로 생각할 것입니다. 단순히 지각하는 경향을 가진 물줄기라면 자신만 보고 근원은 보지 못하겠지만, 반성하는 경향을 가진 물줄기라면 눈을 돌려 자신이 어디에서 시작되었는지, 심지어는 그 근원을 되돌아보고 근원 자체를 볼 수도 있을 것입니다.

우리 인간은 지각적 성향과 반성적 성향을 모두 가지고 있으며, 후자의 발달에 따라 존재의 핵심을 점점 더 깊이 들여다보게 되고 거기서 모든 것이 하나라는 것을 알게 됩니다. 그곳에서 나는 모두이고 당신은 모두입니다.

이제 이 모든 것 또는 최고의 지성은 세상과 물질세계에 자신을 투영합니다. 사실, 그것은 물질세계가 되고 매일 매시간 물질세계가 되는 과정에 있습니다. 그것은 끊임없이 자신의 세계를 만들고 없애고 있습니다. 때때로 재앙과 슬픔이 닥쳤을 때 잘되지 않는 것처럼 보이지만, 그것은 우리가 전체의 일부만 보기 때문입니다. 아름다운 그림의 찢어진 조각을 보고 어떻게 아름다운 그림을 판단할 수 있습니까? 하지만 사이코메트리스트(psychometrist)가 그 찢어진 조각을 이마에 대면 즉시 그림 전체가 그의 시야에 나타납니다.

나는 우리가 이런 심령적인 방식으로 위대하고 아름다운 전체를 엿볼 수 있다고 생각합니다. 그렇지 않으면 혹독한 시련의 시기에 우리의 믿음은 무너질 것입니다. 우리가 부분을 볼 때 전체를 가정하는 이유는 무엇일까요? 불완전함을 볼 때 완벽함을 가정하는 이유는 무엇일까요? 전체를 본 적이 없는 우리, 완벽함을 본 적이 없는 우리가 말입니다. 그 자체로 완전한 전체가 마음에 인상을 남겨 내면의 삶의 아름다움과 영광을 외부에서 일구도록 하는 것이 아닙니까? 나는 그렇게 믿습니다.

이 수업에서 나는 많은 것을 다루려고 노력하고 있으며, 개인이 통과하는 모든 의식 상태에 해당하는 실제적인 발산 또는 오라와 같은 것이 존재한다는 것을 명확히 했다고 생각합니다. 이것을 알면 생각이 어떻게 작용하는지 알 수 있기 때문에 멘탈 힐링이 보다 합리적으로 보입니다.

또한 치유 진동으로 이어지는 단계가 다소 체계적이고 따라서 기계적일 수 있지만, 멘탈 힐링을 기계적으로 또는 냉정하게 지적인 방식으로 이해할 수 없다는 것을 분명히 했다고 믿습니다.

또한, 내 자신의 경험을 통해, 성공이 보장된 것처럼 보이는 높은 곳에 도달했을 때 실패가 찾아와도 실망해서는 안 된다는 것을 보여드렸습니다.

나는 자신의 가족을 치료하고 있지만 원하는 대로 성공하지 못하는 사람들에게 격려의 말을 전하려고 노력했습니다. 그러한 모든 사람들에게 다시 말하고 싶습니다. 부모나 자녀, 남편이나 아내의 삶에 휩쓸리지 마세요. 가장 사랑하는 마음으로 우주의 모든 존재에 대한 명확한 의식 속에서 멀리 떨어져, 차분하고 고요한 상태를 유지할 수 있습니다. 그렇게 하지 않으면 반드시 실패할 것입니다.

그리고 매일의 의식 속에서 방법을 갈아내다시피 하여 모든 것을 해야 한다고 생각하지 마십시오. 당신 안에 있는 최고의 지성이 해결하게 맡겨 두세요. 사랑하는 사람들이 당신의 시야에서 사라지더라도 기꺼이 받아들이고 최고의 지성이 그들을 돌볼 것을 신뢰하십시오. 그들이 집을 떠났을 때 불안한 생각과 보살피고 싶은 마음으로 따라가지 마십시오. 그런 불안한 생각은 그들과 당신 모두에게 독이 됩니다.

나는 오랫동안 멘탈 힐링의 기술에 필수적인 첫 번째 단계는 우리 자신 안에 있는 나약한 생각을 제거하는 것이라고 느꼈으며, 우리가 신을 우리 자신 밖에 두는 한 어떻게 제거할 수 있을지 확실히 모르겠습니다. 이런 이유로 나는 "신"이라는 단어를 거의 사용하지 않습니다. 왜냐하면 그것은 내가 수년 동안 품고 있던 낡고 잘못된 개념을 떠올리게 하기 때문입니다.

하지만 새로운 개념에도 불구하고 나는 덜 종교적이거나 덜

헌신적이 되지 않았습니다. 왜냐하면 이제 최고의 사랑, 최고의 지성은 초월적이지만 항상 신비를 드러내는 신이며 나는 그 신을 숭배하기 때문입니다.

이는 참으로 어려울 때 바로 현존하는, 도움이 되는 신입니다. 이는 우리의 병을 치유하고 이 신을 기다리는 사람들을 새롭게 하는 신입니다. 이 신을 기다리는 사람은 독수리처럼 날개를 치고 올라갈 것이며, 달려도 지치지 않을 것이며, 걸어도 졸지 않을 것입니다.

강의 VIII

이제 나는 매우 독특한 경험에 대해 말씀드리고자 합니다. 이것은 무형으로 보였던 많은 것에 실체를 부여하는 것 같기 때문에 가치 있다고 생각합니다. 당신은 생각, 감정, 영적 유입 및 내면적 경험과 같은 것들이 육체와 피, 집과 땅, 돈과 재산과 같은 것들에 비해 우리에게 매우 비현실적이라는 것을 알고 있습니다. 내면의 삶과 소유에 대한 과도한 가치에 대한 이러한 비현실성 때문에 청년은 가진 것을 모두 팔고 예수를 따르라는 명령을 받았을 때 매우 슬퍼했습니다. 그는 현실에 대한 자신의 지배력을 놓치고 그 자리에 아무것도 얻지 못하는 것처럼 보였습니다. 그는 아주 슬퍼하며 떠나갔습니다. 왜냐하면 그는 자신의 집과 땅에서 찾을 수 있는 것보다 더 나은 것을 갈망했지만, 그것을 추구할 대상으로 만들기에 충분히 정의되지 않았기 때문입니다. 부를 얻는 데 도움이 되었던 좋은 감각을 가진 청년이라면 당연히 그렇게 현실적인 것들에서 벗어나 불가능한 것을 추구하는 것은 현명하지 않은 것처럼 보일 것입니다.

의심할 여지 없이 우리가 그 청년의 역사를 따라갈 수 있다면, 내면의 비전이 열리면서 영의 것들이 현실이 되었음을 알게 될 것입니다. 그리고 명확하게 느끼고 경험했기 때문에 바로 이 현실에 대해 내가 알고 있는 것을 말하고 싶습니다.

깊은 관심을 가지고 "완벽한 길"이라는 책을 읽었을 때, 책이 준 감동이 너무 커서 내 영혼이 힘차게 솟아오르는 것을 느꼈습니다. 나는 주변 환경에서 벗어나 완전히 새로운 생각의 분위기로 들어 올려졌습니다. 지상의 것들은 거칠고 투박해 보였으며, 나는 점점 더 섬세하고 아름다운 세상을 보았습니다.

계속 읽으면서 한 가지를 제외하고는 자신에 대한 모든 의식을 잃었습니다. 그것은 양쪽 손바닥과 양쪽 발등 아치가 찢어지는 듯한 통증이었습니다. 책을 한 번에 다 읽는 동안 이 통증이 너무 뚜렷하고 지속적이어서 동생에게 말했습니다. 우리 둘 다

이상하다고 생각했지만 설명할 수는 없었습니다. 얼마 후 프란츠 하트만 박사의 책을 읽다가, 매우 민감한 사람들의 경우 영적 생명의 탄생과 함께 수반되는 징후가 종종 발생한다는 것을 알게 되었습니다. 기록에 따르면 예수님의 십자가 희생을 깨닫는 수녀들은 이마에 가시 면류관 같은 것이 붉은 자국으로 나타나고 손과 발에 못이 박히는 고통을 느낀다고 합니다. 내가 착각하지 않았다면, 하트만 박사는 이러한 징후들이 의식 속에서 그리스도 아기의 탄생을 나타내는 것으로 말했습니다.

심리학자들은 이러한 현상을 편집증이나 과민증으로 설명할 수 있겠지만, 내 생각에는 그다지 좋은 설명이 아닙니다. 그러한 경험에서 정신적 상태는 극도로 민감한 것은 틀림없지만, 그것이 반드시 환각이나 정신 장애를 의미하지는 않기 때문입니다. 실제로 나는 그렇지 않다는 것을 알고 있습니다.

"완벽한 길"을 읽기 전에 하트만 박사의 진술을 접했다면, 손과 발을 꿰뚫는 듯한 감각이 상상력의 효과이거나 다른 경우에 일어났다는 것을 알고 있을 수도 있지만, 나는 그런 종류의 것을 전혀 알지 못했습니다. 의과 학생들은 종종 공부하는 병에 걸리곤 하지만, 내게 일어난 이 경험은 당시 내가 알고 있기로 전례가 없었고, 생각지도 못했고, 들어본 적도 없었으며, 놀라움과 함께 설명할 수 없는 것으로 내게 다가왔습니다.

이제는 그리스도의 탄생이 특수한 사실일 뿐만 아니라 동시에 보편적인 사실이라는 것을 쉽게 알 수 있기 때문에 모든 것이 충분히 단순해 보입니다. 나는 예수님 안에서 그리스도가 탄생한 순간이 있었다고 믿습니다. 또한 우리 각자 안에서 그리스도가 태어나는 순간이 있으며 그것은 실제이며 그리고 새로운 삶으로의 탄생이라고 믿습니다. 이 탄생이 일어날 때, 우리는 불멸의 삶이 무엇을 의미하는지 처음으로 깨닫게 된다고 생각합니다. 왜냐하면 우리는 이전의 어떤 의식 상태에서 경험했던 것과는 완전히 다른 진동을 느끼기 때문입니다.

슬픔에 잠겨 떠난 청년은 영원한 생명을 구하고 있었지만, 자기 안에서 그리스도가 아직 태어나지 않았기 때문에 찾을 수 없었습니다.

내적이든 외적이든 모든 것이 선하지만, 선의 정도에는 차이가 있으며, 나는 내적인 선함이 가장 좋다고 생각합니다.

우리가 거의 알지 못하는 이 놀라운 내면의 삶에 대해 점점 더 배우도록 합시다. 우리가 알고 있는, 생각하고 행동하는 자아는 전체 자아의 일부에 불과하기 때문입니다.

예를 들어, 나는 내가 아는 것보다 훨씬 더 많은 일을 하고 있습니다. 나는 의식적인 마음으로 사람들에게 다가가지만, 최근에는 무의식적인 마음, 즉 내 정신의 눈에 띄지 않는 내면으로 더 많이 다가가고 있다고 믿게 되었습니다.

얼마 전 태평양 연안에 사는 한 여성으로부터 흥미로운 편지를 받았습니다. 그녀는 잠 속에서 자신을 도와줄 누군가와 접촉할 수도 있다는 생각이 들었고, 그래서 밤에 잠자리에 들 때 그녀의 마지막 생각은 알 수 없는 누군가에게 힘을 달라는 간구였다고 썼습니다. 이 일은 약 2주 동안 계속되었고, 그녀는 여러 면에서 힘을 얻고 도움을 받고 있다는 것을 의식했습니다. 어느 날 그녀는 서점에 들어갔고 주인은 그녀에게 '빛나는 중심(The Radiant Centre)' 한 권을 건네주었습니다. 그녀는 이상하게도 그 책에 매료되어 그 내용을 탐독했으며, 서둘러 서점으로 돌아와서 '이 작가는 다른 책도 썼어요?'라고 물었습니다. 다른 작품이 그녀에게 건네졌고, 그녀는 그것을 집으로 가져가 묘한 친숙감을 느끼며

읽었습니다. 마치 모든 페이지의 내용을 읽기도 전에 알고 있는 것처럼 보였습니다. 그녀가 책을 다 읽은 후 불을 바라보고 앉아 있는데, 어떤 목소리가 분명하게 들려왔습니다. '케이트 보메에게 편지를 쓰는 게 어때? 오늘 밤에 그녀에게 편지를 보내.' 그리고 동시에 내가 잠 속에서 그녀를 만나 힘을 준 사람이라는 확신이 번쩍 떠올랐습니다.

이것은 의심할 여지가 없습니다. 왜냐하면 나는 마음이 세부 사항에 초점을 맞추는 동안 온 전체가 오라 영역을 통해 자신의 방식으로 작용하고 있다고 확신하기 때문입니다.

어떻게 이것이 될 수 있는지 모르겠습니까? 어떻게 전체는 전체 문장을 말하고 부분은 한 구절만 말할까요? 두 사람이 "좋은 아침입니다(Good Morning)"라고 인사한다고 가정해 봅시다. 두 사람 모두 같은 단어를 사용하지만, 그 인상이 얼마나 다른가요? 무엇이 차이를 만드는지 아십니까? 그것은 바로 "굿모닝"을 할 때마다 상대방으로부터 진동으로 전달되는 것입니다.

당신이 하는 행동과 말에는 당신이 어떤 사람인지가 담겨 있습니다. "좋은 아침"이라고 말할 때 그 말이 매우 "나쁜 아침"을 의미하도록 할 수도 있고, 밝은 태양이 어두운 세상 위로 떠오를 때처럼 말할 수도 있습니다.

나는 솔직히 감리교도이든, 장로교도이든, 로마교도이든, 정신 과학자이든 상관없이, 오직 내면에서 그리스도만 태어나면 어떤 믿음의 교리를 가지고 있든지 무엇이든 치유할 수 있다고 믿습니다. 빛은 당신 기질의 빛깔에 따라 당신을 통해 빛날 것이며, 그 색깔은 머리카락이나 안색만큼이나 확실하게 당신에게 속할 것입니다.

당연히 나는 신사고(그런데, 이는 아주 오래된 생각의 새로운 탄생이라고 할 수 있습니다)가 빛으로 가는 지름길이라고 생각하며, 그런 이유로 나는 그 안에서 걷습니다.

다른 누군가가 자신만의 지름길을 찾았다면 그에게 신의 가호가 있기를 바랍니다. 모든 길은 로마로 통한다고 말하지만, 모든 길은 충분히 오래 따라가면 중심으로 통한다고 말할 수도 있습니다. 하지만 나는 광야에서의 오랜 세월에 지쳐서 탈출구를 찾았습니다. 뜻이 있는 자들은 나와 함께 하세요. 그들에게 축복을 보냅니다! 원치 않는 이들은 다른 길로 가도 좋습니다. 그들에게도 똑같이 축복을 보냅니다!

모든 인류를 향한 사랑의 상태로 가장 빨리 당신을 데려다주는 것이 무엇이든 당신에게 가장 좋습니다. 그 상태에서만 자신과 다른 사람들의 치유가 이루어질 수 있기 때문입니다.

강의 IX

몇 년 전 만성 류머티즘을 앓고 있는 한 남성에 대해 들었습니다. 그의 상태는 너무 심해서 도움 없이는 한 걸음도 걷거나 옷을 입고 벗을 수 없었습니다. 매일 아침 가족들이 그를 침대에서 일으켜 옷을 입히고, 매일 밤 옷을 벗기고 어린아이처럼 잠자리에 눕혔습니다. 어느 날 밤, 그를 안전하게 침대에 눕힌 후 온 가족은 평소처럼 교회에 참석하기 위해 집을 나섰습니다. 이전에도 그렇게 그를 두고 떠났지만 아무 일도 일어나지 않았는데, 이날 밤에는 집에 불이 났습니다. 그는 큰 소리로 도움을 요청했지만 아무도 그를 구하러 오지 않았습니다. 연기는 숨이 막힐 정도로 점점 짙어졌고 상황은 위급해졌습니다. 불길은 점점 더 가까이 다가오고 연기는 점점 더 짙어졌고, 두려움에 휩싸인 그는 갑자기 침대에서 일어나 옷을 입고 침대 시티를 가져다가 서랍에서 값비싼 물건을 모두 시트에 집어넣고 어깨에 걸치고 거리로 나갔습니다. 그의 류머티즘은 어디에 있었습니까? 완전히 사라졌습니다. 그리고 다시는 돌아오지 않았습니다. 이 이야기는 신뢰할 수 있는 사람들이 보증합니다.

그 남자는 실제로 류머티즘을 앓고 있었습니다. 가식을 피우는 것이 아니었습니다. 그는 완벽하게 정직하고 제정신이었습니다. 그렇다면 어떻게 그의 병이 꿈이나 상상의 산물인 것처럼 사라졌을까요?

글쎄요, 내가 말씀드리겠습니다. 불과 그에 수반되는 위험이라는 생각이 남자의 의식을 가득 채웠습니다. 류머티즘에 대한 생각이 숨어있을 수 있는 틈새나 구멍은 어디에도 없었습니다. 그것은 쫓겨났습니다. 철저하게 제거되었습니다.

그렇다면 질병은 마음에 있다는 것인데, 실제로 신체에 영향을 줄 수 있다는 것입니다.

그럼에도 불구하고, 질병을 무서워서 몰아내는 것은 다른 질병을 대신하여 치료하는 과거의 방법과 많이 닮아있습니다. 그렇다면, 두려움보다 더 좋은 것으로 의식을 가득 채우는 것은 어떨까요? 마음을 건강에 대한 생각으로 가득 채우면 질병(작은 글씨로 쓴 것을 보셨죠?)은 그림자조차 드리울 수 없을 것입니다.

최면술에는 질병이 마음에 있다는 것을 증명하는 데 도움이 되는 실험이 있습니다. 실험은 다음과 같습니다. 실험자는 기침을 하는 피험자와 기침이 없는 피험자 두 명을 데리고 최면 상태에 빠뜨립니다. 그런 다음 기침을 한 명에서 다른 한 명으로 옮기고 두 사람을 깨웁니다. 이때, 기침이 있던 피실험자는 기침이 없어지고, 다른 피실험자는 격렬하게 기침합니다.

운영자는 기침이 있는 피험자에게는 기침이 없다고 말하고, 다른 피험자에게는 기침이 있다고 말함으로써 이를 성취합니다. 각각의 피험자들은 운영자의 의식적인 생각에 반응하여 주어진 정신적인 주장을 받아들이며, 신체에 즉각적인 영향이 나타납니다. "사람은 생각하는 대로 되리라." 머리끝에서 발끝까지.

이것이 법칙인데 왜 지키지 않을까요?

물론 그러고 싶지만 방법을 모를 수도 있습니다. 보통 그게 문제입니다.

예를 들어, 머리가 심하게 아프다고 가정해 봅시다. 그럴 때 당신은 다음과 같이 말합니다. "지금이야말로 멘탈 힐링에 대한 지식을 실천할 때가 왔군." 머리가 아파서 거의 생각조차 할 수 없지만, 큰 노력을 기울여 "나는 머리가 아프지 않다"라고 말합니다. 그리고 마음속으로 "머리가 갈라질 것 같은데 이 얼마나 끔찍한 거짓말인가"라고 덧붙입니다. 하지만 다시 마음을 가다듬고 다음과 같이 이어갑니다. "나는 어떤 두통도 가질 수 없다. 왜냐하면 나의 영적인 본체가 진정한 나 자신이며, 그것은 완벽하기 때문이다. 그것은 통증과 고통을 가질 수 없다. 이 두통은 오로지 감각의 착각에 지나지 않으며, 나는 착각에서 현실로 일어날 것이다. 내 두통은 사라졌고, 나는 건강하다."

하지만 두통은 사라지지 않았습니다. 오히려 이전보다 심해졌습니다. 계속해서 사라졌다고 주장할수록 그것은 여전히 당신과 함께 남아 있습니다. 이것은 오컬트를 추구하던 어떤 학생의 상태와 유사합니다. 선생님은 그에게 주어진 공식을 반복하되 "코뿔소"라는 단어를 생각하지 않도록 매우 조심하라고 말했습니다. 그 결과 그는 "코뿔소" 외에는 다른 생각은 거의 하지 못했습니다. 마침내 절망에 빠진 그는 선생님께 "왜 '코뿔소'를 생각하지 말라고 하셨나요?"라고 물었습니다. "선생님이 그 말을 제 마음속에 넣지 않았더라면, 결코 그런 생각이 떠오르지 않았을 텐데요. 지금 제 마음에서는 다른 것들을 생각할 수 없습니다."

그래서 당신은 두통을 생각할 때, 어찌 보면 그것을 부정하려고 할지라도 사실상 "코뿔소"를 생각하게 됩니다. 두통을 전혀 말하거나 생각하지 말고 생각에서 벗어나세요. 그 남자가 류머티즘에서 벗어난 것처럼. 마지막 상태가 첫 번째 상태보다 더 나빠지지 않도록 할 수 있다면 겁내지도 마세요.

병을 앓고 있는 와중에 집이 불타거나 충격적인 소식을 들었다면, 확실히 두통이 사라질 것입니다. 하지만 그런 경우는 강물에 떠서 이리저리 흘러 다니는 나무 조각과 매우 흡사합니다. 당신은 때로는 다른 표류물과 엉키고, 때로는 매끄럽게 스치기도 하며 항상 관성적으로 이런저런 영향을 받습니다. 대신 물살에 맞서 싸우며 원하는 곳으로 향하는 강한 수영선수가 되어야 합니다.

당신은 표류물이 되어서는 안 됩니다. 왜냐하면 당신은 수영선수가 될 능력이 있기 때문입니다.

그러나 두통(두통을 다른 어떤 질병을 대표하는 것으로 하겠습니다)을 없애는 방법에 대해 생각해보자면, 쉽고 빠르게 질병에서 벗어날 수 있으려면 많은 시행착오를 겪어야 할 것입니다. 치유에 있어서도 다른 모든 것과 마찬가지로 연습이 완벽함을 만들며, 연습하기 가장 좋은 시기는 아프지 않을 때입니다. 이상하게 들리지 않습니까? 하지만 내 말뜻은 홍수 전에 방주를 만들어야 한다는 것입니다. 그러면 그 안에 들어가서 안전하게 물을 타고 갈 수 있습니다.

현재 상태에 이르기까지 보낸 10년을 되돌아보면, 이전에 자가 치료를 시도했던 많은 노력들이 실패로 끝났기 때문에 절망에 빠져 포기하지 않았던 것이 다행이라는 생각이 듭니다. 내가 앓았던 질병의 목록을 일일이 열거할 필요는 없겠지만, 그 수는 많았고 그 중 신경성 두통은 가장 극복하기 어려웠던 질환 중 하나였습니다. 자가 치료를 위한 노력은 보통 페나세틴이나 항피린제 복용으로 끝났습니다. 그 후 후회와 다음에는 원칙을 지키겠다는 나 자신에 대한 약속이 뒤따랐지만, (솔직하게 고백해야 할까요?) 다음 기회가 찾아왔을 때 역시는 그대로 반복되었습니다.

한번은 해변에 앉아서 생각 없는 소년들이 막대기를 물에 던지고 불쌍한 개가 너무 지쳐서 거의 물에 닿지 못할 정도가 될 때까지 계속해서 개를 보내는 것을 보았습니다. 결국 나는 개를 대신하여 간섭해야 했습니다. 지친 개는 나 자신을 너무나 닮았기 때문에, 그것은 내게 교훈적인 장면처럼 보였습니다. 하지만 그 개는 나보다 나았습니다. 왜냐하면 그는 원하는 것을 잡아 뭍으로 가져왔기 때문입니다. 반면, 나는 지금까지 아직 그렇게 성공하지 못했고, 언젠가 성공할 수 있을지 의심스러웠습니다. 하지만 실패와 낙담에도 불구하고 계속 나아가게 하는 무언가가 내 안에 있었고, 의식하지 못했더라도 그동안 내가 실제로 전진하고 있었다는 것을 이제는 알 수 있습니다.

다른 사람을 치유하기 시작한 이후에도 여러 번의 역경을 겪었습니다. 한 번은 안면 신경통 발작으로 밤새 고통받아 얼굴 한쪽이 심하게 부었던 적이 있습니다. 다음 날 환자가 방문했을 때, 첫 번째 충동은 환자를 만나고 싶지 않다는 것이었습니다. 비겁해 보였기 때문에 그 충동을 극복하고 거실로 내려갔지만, 한 걸음 한 걸음 내딛을 때마다 돌아서서 도망치고 싶은 생각이 들었습니다. 환자는 부어오른 얼굴을 알아차렸지만, 한참이 지날 때까지 언급하지 않았습니다. 그녀는 내가 그런 상태인데 어떻게 도움을 줄 수 있을까 의문스러워했지만, 놀랍게도 나는 그녀를 도와주었습니다. 나는 매우 강력한 치료를 했고, 얼마 지나지 않아 내 얼굴의 부기가 완전히 가라앉았습니다.

당시에는 환자가 정확히 그 시기에 찾아와서 그런 상태의 나를 발견하는 것이 부적절한 상황으로 보였지만, 오히려 이는 더 높은 성취의 길에서 올라갈 언덕, 목적 달성의 수단으로 작용했습니다. 심지어 부은 얼굴조차도 의미가 있었고 좋은 결과를 가져왔습니다.

하지만 가장 극복하기 힘들었던 것은 어린 시절부터 나를 괴롭혔던 꽃가루 알레르기였습니다. 한동안은 거의 진전이 없는 것처럼 보였지만, 시간이 지나자 매년 조금씩 더 늦게 찾아오고 조금 더 일찍 사라지는 것을 알게 되었습니다. 그래서 시간이 지나면 완전히 사라질 것이라고 믿게 되었고 실제로 그렇게 되었습니다.

하지만 꽃가루 알레르기와 관련된 흥미로운 사건을 하나 말씀드리면서 질병은 마음에 있다는 것을 다시 한번 보여드리겠습니다. 내가 가장 괴로울 때, 유난히 재미있는 친구들이 찾아와서 내 마음이 완전히 나 자신에게서 멀어지면, 꽃가루 알레르기의 모든 흔적은 사라지고 갑자기 모든 증상에서 완벽하게 자유로워진 자신을 의식하곤 했습니다. 그러나 친구들이 떠나고 다시 생각이 나 자신에게 집중되면 다시 증상이 재발하곤 했습니다. 꽃가루 알레르기는 일 년 중 특정 계절에 공기 중에 떠다니는 꽃가루가 원인이라고 하는데, 그 꽃가루가 나를 괴롭혔을 가능성이 높습니다. 내가 친구들과 즐겁게 지내는 동안 꽃가루가 대기 중에 떠돌다가 친구들이 떠난 다음에 다시 날 찾아왔을 가능성은 낮습니다. 합리적으로 생각하면, 꽃가루는 계속 존재했고 어떤 정신 상태에서는 꽃가루에 민감하게 반응하고 또 어떤 정신 상태에서는 반응하지 않았다고 가정할 수 있습니다. 또는 더 정확하게 말하면, 꽃가루 알레르기에 대한 생각이 내 마음에 있을 때 꽃가루가 나에게 영향을 미쳤지만, 꽃가루 알레르기에 대한 생각이 밀려나면 꽃가루는 무력해져 내가 흡입하고 코 점막에 닿았어도 같은 증상을 유발하지 못했습니다. 분명히 꽃가루는 (생각으로 형성된) 대리인의 형태로 내 마음에 들어오기 전까지 내게 꽃가루 알레르기를 일으킬 수 없었습니다.

나는 물질적인 것이 우리에게 해를 끼치는 힘이 있다는 것을 부정하지 않지만, 정신 상태에 의해 인정되거나 배제된다고 믿으며, 이러한 이유로 나는 우리가 마음을 무언가로 가득 채워 질병에 영향을 받지 않는 상태로 만들 수 있다고 확신합니다. 또한 질병이 우리와 함께 존재하는 동안 우리가 한꺼번에 또는 경우에 따라 조금씩 몰아낼 수 있으며, 질병과 정반대의 것으로 마음을 가득 채우면 그렇게 할 수 있다고 확신합니다. 누구나 상상의 힘을 가지고 있으며 건강을 그려내기 위해 이를 사용할 수 있습니다. 누구나 최소한 잠시라도 비교적 건강한 상태를 경험해 본 적이 있으며, 그 기억은 상상 속에서 정신적 그림을 그리기 위한 공식적인 암시나 패턴을 형성하기에 충분합니다. 친애하는 친구들, 시도해보세요. 그러면 얼마나 많은 것을 성취할 수 있는지 놀라실 겁니다.

자신이 건강하지 않다고 해서 다른 사람을 도울 수 없다고 생각하지 마십시오. 부은 얼굴에 대한 나의 경험을 기억하고 용기를 내십시오. 다른 사람을 더 많이 도우려고 노력할수록 자신의 질병을 잊게 되며, 결국 그 질병은 완전히 사라질 것입니다.

나는 정말로 내 자신의 완벽한 건강 상태가 항상 다른 사람을 대하면서 내 몸 상태를 완전히 잊어버리기 때문이라고 믿습니다. 가끔씩 스스로에게 돌아와 내가 얼마나 건강한지 깨닫는 순간을 제외하고 말이죠.

강의 X

신사고 운동의 일부 작가들은 물질적인 것에 너무 집착하지 않으려고 외부 세계가 영적인 삶의 진화에 미치는 역할을 경시하거나 완전히 무시하는 경향이 있습니다. 그들은 외부 자극이 없다면 지적인 표현이 불가능하다는 사실을 잊어버립니다. 어린 아이를 모든 감각 자극으로부터 격리시키면 이 행성에서의 그의 생명은 소멸하고 말 것입니다. 부분적으로 차단하면 그 차단하는 만큼 표현력이 부족해집니다. 우리는 우리 안에 있는 것을 불러내기 위해 외부와의 접촉이 필요합니다.

에머슨이 말했습니다. “우리는 세상의 비밀 앞에 서있다. 거기서 존재가 형태로, 단일성이 다양성으로 넘어간다.”

여기가 비밀을 배울 수 있는 곳입니다. 존재가 형태로 전환되고 존재와 형태를 함께 보는 곳에 서 있는 것, 단일성이 다양성으로 전환되고 단일성과 다양성을 함께 볼 수 있는 곳입니다.

존재와 단일성만을 보거나, 형태와 다양성만을 보는 것은 멀리 떨어져 서서 비밀이 드러나는 순간에 참여하지 않는 것입니다.

이 비밀의 드러남은 지속적으로 진행되며, 그 비밀 앞에 서 있는 사람에게 계속해서 영적인 의식의 진화가 일어납니다. 이것은 점점 더 명확하게 존재가 형태로 전환되고, 단일성이 다양성으로 전환되는 것을 볼 수 있는 것입니다.

나는 멘탈 힐링은 예술이며 모든 예술과 마찬가지로 과학의 토대 위에 세워진다고 말씀드렸습니다. 이것은 마음이 어떤 고정되고 변하지 않는 진리를 인식해야 한다는 의미입니다. 예를 들어, 마음은 모든 존재를 하나로 보아야 하며, 또한 그 하나를 다양한 포용력, 다수의 근원, 수많은 투사로 보아야 합니다.

이것은 멘탈 힐링의 다른 모든 진리의 기반이 되는 원초적 또는 기본적 진리입니다. 마음이 이것을 파악하면 다른 진술을 할 준비가 된 것입니다. 그것은 완벽한 전체, 완벽한 선을 보기 시작합니다. 어떤 형태가 얼마나 불완전하고 불완전하며 악에 가까워 보이더라도 말입니다.

당신은 정신과학의 학생으로서 "모든 것이 좋다"는 것을 인식하도록 요청받지만, 어떻게 그럴 수 있을까요? 이 모든 것 중 일부가 악인 것을 보면서 말입니다.

하지만 그 이유를 설명해 드리겠습니다. 그림자 하나 없는 순백의 빛을 상상할 수 있습니까? 물론 그것은 "육지나 바다에 비치지 않는 빛"이며, 그것이 외부 세계에 부딪혀 육지와 바다에 비추는 순간 빛과 어둠으로 나뉘게 됩니다. 어둠은 악처럼 보이고 실제로 악의 상징이지만, 이것은 순수한 흰 빛의 일시적인 분리일 뿐입니다. 거기엔 그림자가 없습니다. 태어남으로써 이 세계로 태어날 때, 그것은 빛과 어둠이 됩니다. 즉, 빛 안에 그림자가 있고 때로는 매우 어두운 그림자입니다. 종종 빛은 칠흑 같은 어둠에 삼켜질 것 같지만, 빛은 점점 완전한 날까지 점점 더 빛납니다. 어둠에서 빛으로, 어둠의 무지에서 지성의 빛으로, 증오의 어둠에서 사랑의 빛으로, 절망의 어둠에서 희망의 빛으로, 슬픔의 어둠에서 기쁨의 빛으로 진화하는 것이 바로 개인의 진화입니다.

이것을 보고, 느끼고, 이것이 사실임을 아는 것은 치유 의식을 얻기 위한 필수적 단계입니다. 그런 다음 그것이 사실인 것처럼 행동함으로써 그 상태를 강화하고 영구화합니다. 삶을 살아가는 것은 꼭 필요합니다. 삶을 살아가고, 행동하고, 실천하고, 빛을 드러내는 데 멘탈 힐링의 예술이 있습니다. 이것은 음악이나 그림과 같은 예술입니다. 감정, 이상, 상상력, 그리고 정의하기 어려운 초월적인 천재성의 놀라운 손길, 위대한 원천에서 오는 영감을 불러일으킵니다.

사람들은 진리가 치유한다고 말하는데 "진리가 무엇인지" 묻고 싶어집니다. 전체는 모든 부분의 합이라고 말하지만, 그것이 진실일지라도 당신을 치유하지는 못할 것이라고 감히 말하고 싶습니다.

차가운 수학적 진술은 아무도 치유하지 못했습니다. 그 진술을 가지고 무언가를 해야만 비로소 당신을 치유할 수 있습니다. 어떻게 해야 할까요? 당신을 전체 존재의 일부로 볼 때까지 내 생각, 느낌, 상상력을 발휘해야 합니다. 당신을 이 전체의 외부가 아니라 전체 안에 있는 것으로 볼 때까지. 그 안에 있는 나는 당신을 분리된 부분이 아닌 부분으로, 마치 손의 손가락과 같은 부분으로 봅니다.

손가락을 펴고 손바닥이 자신을 향하도록 손을 들어보면 무슨 뜻인지 알 수 있을 것입니다. 존재 전체가 외부 표현으로 분리되거나 갈라지는 것과 마찬가지로 손바닥은 손가락으로 분리되거나 갈라집니다. 당신은 존재의 손에 있는 손가락이며 그 생명은 당신의 삶입니다. 전체는 부분들의 합이므로, 나는 모든 생명체가 전체의 일부로서 전체의 생명을 받아 전체로부터 나아가는 것을 봅니다.

이것을 명확하게 보면 큰 생명의 유입이 있고, 그것이 치유하는 것입니다. 그것은 해부학적 진술의 시체, 진리의 단순한 뼈대가 아니라 생명력입니다. 그러면 나의 진술은 이와 같아집니다. - 살아있는 전체는 살아있는 부분의 합입니다. 과학은 이렇게 예술의 생명력으로 가득 차 있습니다. 치유하는 것은 살아있는 진리이지만, 그 살아있는 진리에 도달하기 위해서는 과학을 발판으로 사용해야 합니다. 우리는 기계적인 도구를 통해 우리 십자가 잔을 용접합니다.

내가 방금 말한 것에 기반한 더 높은 진리도 있습니다. 그것은 바로 전체는 부분의 합일 뿐만 아니라, 부분이 전체라는 것입니다. 이를 볼 수 있는 곳에 도달하면 모든 것 중에서 가장 높은 진리에 도달한 것입니다. 그것은 너무 높은 진리이기 때문에 많은 사람들이 비틀거리며, 있는 그대로 보지 않으려 하거나 감히 볼 수 없을 것입니다. 하지만 서두르지 않아도 됩니다. 진리에 대한 당신의 높아지는 비전이 장애물을 넘어설 것이며, 올바른 시간에 모든 것을 알게 될 것입니다.

오늘은 아니더라도 당신이 자신을 항상 아버지로부터 나오는 존재로 보게 될 날이 다가오고 있습니다. 그런 의미에서 당신은 하나님의 자녀이지, 부모와 분리된 자식 몸으로서의 의미가 아닙니다. 바다는 시냇물의 아버지이고 태양은 빛줄기의 아버지입니다. 바다는 시냇물에 자신을 내어주고 태양은 광선에 자신을 내어줍니다. 이처럼 하나님 아버지께서는 계속해서 자녀들에게 스스로를 주시는 것입니다. 유일하게 차단되거나 차단될 수 있는 것은 이 진리를 인식하지 못하는 것입니다. 우리는 우리 자신에 대해 부분적으로만 깨어 있을 뿐입니다. 하지만 보다 완전한 깨어남이 우리 앞에 있으며, 이 깨어남과 함께 더 큰 생명의 유입이 올 것입니다.

우리는 주변 세상의 외부적 영향으로부터 독립적이지 않습니다. 인간, 환경, 모든 사물은 항상 내면에서 빛을 불러내는 전기 버튼을 만지고 있습니다. 이러한 접촉이 없이 하나님은 사람들 사이를 걷고 다니실 수 없습니다. 신성은 인류 안에 나타날 수 없습니다.

당신은 멘탈 힐링을 하는 방법을 배우고자 여러 수업을 연달아 공부합니다. 구체적인 지침을 따르고 마음이 마치 회전하는 허망한 기계처럼 느껴질 때까지 부정과 긍정을 반복 연습합니다. 그래서 진전이 있나요? 아니요, 회전하는 허망한 기계 위에서 어디를 갈 수 있겠습니까? 이것이 멘탈 힐링을 배우는 방법인가요? 결고 그렇지 않습니다.

찰스 브로디 패터슨은 형이상학 운동이 영혼을 찾았느냐는 질문을 아주 적절하게 던집니다. 나는 분명하게 대답합니다. "아니오."

형이상학 운동은 교사와 지지자들이 자신의 영혼을 찾을 때 비로소 그 영혼을 찾게 될 것입니다.

그리고 영혼이란 무엇을 의미할까요? 아마도 나는 그것이 무엇이 아닌지, 또는 오히려 영혼이 없는 곳을 말함으로써 더 잘 설명할 수 있을 것입니다. 과학에는 영혼이 없고, 기계공학에는 영혼이 없고, 교통에도 영혼이 없고, 수학, 화학, 천문학에는 모두 영혼이 없으며 지적인 능력만으로도 충분합니다. 물론 이러한 분야에도 영혼이 주입될 수 있지만, 그 자체로는 단순한 정신 활동의 형태로 존재할 수 있으며 영혼이 없을 수 있습니다.

자, 영혼은 정의를 초월하지만 우리 모두는 영혼을 단순한 정신적 행동보다 더 높고 더 나은 것으로 알고 있습니다. 개인적인 이익을 버리고 인류를 위해 살 수 있게 하는 것이 바로 인간 안에 있는 영혼입니다. 이웃에게 진실을 말하고 비즈니스 관계에서 정직하게 대할 수 있게 하는 것이 인간 안에 있는 영혼입니다. 진리를 깨닫고 그것에 의해 자극받고 고양되는 것이 인간 안에 있는 영혼입니다. 치유하는 사랑의 파동을 세상에 보내는 것이 인간 안에 있는 영혼입니다. 이상을 볼뿐만 아니라 실제로 이상을 살기 위해 노력하는 것이 인간 안에 있는 영혼입니다. 영혼은 이 모든 것이 나나 다른 누가 표현할 수 있는 것보다 훨씬 더 많은 것입니다.

뉴욕시의 풀턴 스트리트 정오 기도 모임이 어떤 경이로운 결과를 이루었는지 보십시오. 지금도 존재하는지 모르지만, 몇 년 전에 그 모임과 그곳에서 드려진 기도에 대한 응답으로 놀라운 치료가 이루어졌다는 사실을 알고 있었습니다. 그것은 의심할 여지 없이 단순한 기도였으며 문법적으로 부적절한 부분이 많았을 겁니다. 아마도 후대의 형이상학자들이 완전히 경멸할 만큼 그들의 정신적 선언문은 혼란스럽고 비과학적이었지만, 그 기도는 실제로 작용했습니다. 왜냐하면 그들은 '영혼'과 함께 살아 숨쉬었기 때문입니다.

나의 바람은 이 정신적 치유 작업을 단순화하는 것입니다. 확실히 이와 관련된 심오한 철학이 있으며, 시간과 능력이 있는 사람들은 그것을 추구할 수 있습니다. 그러나 내 생각에는 이 주제를 제한적으로 공부하든, 확장하여 공부하든 모든 학생이 붙잡아야 할 중심적인 진리가 필요합니다.

그 진리는 바로 당신과 나, 그리고 만물이 나아가는 삶과 존재의 '빛나는 중심'에 대한 나의 생각에서 어떤 식으로든 표현하려고 끊임없이 노력하고 있습니다. 나는 이 생각에 오랫동안 주목해

왔기 때문에, 실제로 내가 말하고 생각하고 느끼고 행동하는 모든 것에서 이 위대한 에너지 센터를 느낄 수 있습니다. 가끔 환자로부터 어려운 상황에 대한 조언을 구하는 편지를 받으면, 도움이 될 만한 말이 없다고 생각할 때도 있지만 그래도 편지를 시작합니다. 보통 날짜와 주소를 적고 나면 잠시 공백이 생깁니다. 그런 다음 목적에 딱 맞게 생각이 밀려옵니다. 질문자에게 가장 좋은 것으로 내 판단에 의해 승인됩니다. 필자의 필요성이 내 마음속의 전기 버튼을 누르고 센터로 이어지는 전선을 따라 신속하게 요구가 전달됩니다. 이에 대한 응답으로 센터에서 공급이 쏟아져 나옵니다.

나는 말이나 확언의 힘을 믿습니다. 그들도 버튼을 누르면 중심에서 주변부로 전류가 흐르지만, 말과 공식은 반복되면서 죽고 무의미해지기 쉽습니다. 침묵 속에서 공식을 사용할 때에는 기계적으로 반복하지 말고 오히려 명상의 주제로 삼아야 합니다.

최근에는 치료사가 환자를 치유하는 것인지, 아니면 환자가 스스로 치유하는 것인지에 대해 많은 논의가 많았습니다. 이에 대한 내 대답은 간단합니다.

- 환자는 치료사와 동일한 원천과 연결되어 있지만, 전류를

켜기 위해 버튼을 누르는 방법을 모르기 때문에 치료사가 대신해 줍니다. 시간이 지나면 그는 스스로 하는 방법을 배우게 됩니다.

모든 삶은 내면으로부터 전개되며 모든 개인은 자신의 건강, 번영, 행복을 자신의 내면으로부터 성장시켜야 합니다. 그러나 이렇게 내면에서 펼쳐지면서 동시에 외부로부터 영향을 받습니다. 그렇지 않으면 성장은 불가능할 것입니다. 가난, 질병, 불운은 내면의 힘이 나타나고 드러나기를 요청하는 것뿐이며, 이런 의미에서 선한 것이라고 할 수 있습니다.

엘버트 허바드는 말합니다. 우리 모두는 하나님 유치원에 있는 아이들이라고. 그렇습니다. 그리고 우리 모두는 하나님의 체육관에서 성장하는 존재들이며, 환경의 막대기 위에서 영적 근육을 강화하고 있습니다.

당신이 빛나는 성장의 중심에 대한 나의 아이디어를 붙잡으면, 천천히 현재의 의식 상태에서 벗어나 더 큰 자아에 대한 인식이 찾아올 것입니다. 이 더 큰 자아는 최상이고 가장 높으며 가장 행복한 모든 것을 포함할 것입니다. 허영심과 자만심을 가진 작고 이기적인 동기들은 사라질 것입니다. 새로운 의식은 너무 깨끗하고 달콤하여 기분 좋게 느껴질 것이며, 마치 곰팡내 나는 낡고 썩어가는 집에서 벗어나 신선한 공기와 밝은 햇빛이 가득한 새로운 집으로 이사하는 것과 같을 것입니다. 그리고 당신은 하나의 의식 상태에서 다른 의식 상태로 나아가게 되며, 각각 전보다 더 나은 상태로 전환될 것입니다. 마치 여러분의 처지가 개선되면서 점점 좋은 집으로 이사하는 것처럼 말이죠. 이러한 변화가 당신을 위해 예정되어 있다는 사실을 깨닫기는 어렵지만, 실제로 일어나고 있습니다. 그 변화는 나와 다른 사람들에게 오고 있으며 당신에게도 다가올 것입니다.

사도 바울은 "내가 다시 너희에게 말하노니 기뻐하라"고 말했을 때 자신이 무슨 말을 하고 있는지 정확히 알고 있었습니다. 그는 "기쁨을 주는 일이 일어날 때 기뻐하라"고 말하지 않았습니다. 아니면 그런 명령이 필요하지 않을 테니까요. 모든 일이 잘 풀리고 마음껏 기뻐할 때 누구도 기뻐하라는 말을 들을 필요가 없습니다. 그렇다면 왜 이런 명령이 필요할까요? 글쎄요, 바울은 학식이 많은 사람이었고 형이상학을 이해했을 것입니다. 실제로 신약 성경에는 가장 고급의 형이상학적인 내용이 담겨 있습니다. 바울은 진지한 사람이었습니다. 그는 설교뿐만 아니라 삶 자체를 살았고 기쁠 일이 없을 때 기뻐할 수 있다는 것을 잘 알고 있었습니다. 바울은 그것을 알았고 나도 그것을 알고 있습니다. 왜냐하면 나 자신 직접 시험해보고 성공했기 때문입니다. 순교자들이 끓는 기름 가마솥 속에서도 웃으며 노래할 수 있었다면, 당신과 나는 더 작은 시련 속에서도 기뻐할 수 있습니다.

지금 이 순간부터 속으로 이렇게 말해보세요. "나는 기뻐할 것이다, 나는 기뻐한다." 첫 번째 시도는 실패할 수도 있습니다. 첫 번째는 그럴 수밖에 없습니다. 하지만 포기하지 마세요. 날마다 기뻐한다고 선언하고 시간이 지나면 언젠가 온몸에 기쁨이 넘쳐흐를 만큼의 힘을 가지고 그 말을 하게 될 것입니다. 가장 어두울 때, 가장 불행할 때 시도해보세요. 그런 다음 기쁨의 생명이 있는 빛나는 중심에 요청을 보내는 버튼을 누르세요. 그러면 기쁨이 당신의 마음에 쏟아질 수 있는 길이 열리고 기쁨이 찾아옵니다.

베단티주의자들은 존재나 생명과 동의어인 중심의 의식이 순수한 축복이라고 가르칩니다. 나는 이것이 절대적으로 사실이라고 믿습니다. 그것은 내 이성에 호소합니다. 나는 그것을 직관적으로 느낍니다. 그리고 작동 가능한 가설로 축소시켰습니다.

"축복받은 삶으로의 길(The Way to the Blessed Life)"에서 스와미 아베다난다는 다음과 같이 말합니다. "진정한 생명 또는 존재 또는 축복은 시간과 공간을 초월하며 어떠한 조건에도 구속되지 않습니다. 현상의 법칙에 따르지 않으며, 독립적이고 완벽합니다. 반면 겉으로 보이는 생명은 현상 세계를 지배하는 법칙에 의존하고 시간과 공간에 의해 조건이 정해집니다. 진정한 생명 또는 실재는 외부로부터 어떠한 도움도 필요로 하지 않습니다. 그것은 자체로 충분합니다. 그것은 자기 신뢰적이고, 자기 완전하며, 자기 충분하며, 자기를 사랑합니다. 한편 겉으로 보이는 생명은 진정한 생명의 불완전한 반영이므로 환경의 조건에 의존하며, 진정한 생명을 복된 완전체로 만드는 자기 신뢰성, 자기 완전성, 자기 충분성, 자기 사랑 및 독립성과 같은 상위 속성들을 불완전하게 대변합니다."

"축복받지 못하는 것은 부분과 전체가 분리되어 있다는 생각과 개별적인 고립에 대한 잘못된 개념에서 비롯된 다른 불완전함의 속박에서 비롯됩니다. 전체와 하나가 되고, 이러한 불완전함의 속박에서 벗어나 완전해지는 것, 이것이 바로 축복입니다. 우리가 이미 겉으로 드러난 생명이라고 불렀던 각 개별 생명의 싹은 이 축복에 도달하고 축복받지 못한 조건으로부터 자유로워지려는 타고난 성향을 가지고 있습니다. 우리의 인간적인 삶은 우리를 중심 진리, 즉 축복받은 삶에서 멀어지게 하는 환경과의 끊임없는 싸움으로 이루어져 있습니다. 우리는 겉으로 보이는 삶을 좁은 이기심으로 제한하는 한계의 벽을 허물고 자기 사랑의 영역을 확장하여 완전의 참된 삶과 연합하기 위해 끊임없이 고군분투하고 있습니다."

당신 안에는 축복의 성취를 향한 타고난 성향이 있습니다. 겉으로 드러난 삶"에서 버튼을 누를 때 나타나도록 부름을 받는 기쁨과 축복의 참된 삶이 당신 안에 있습니다. 이 참된 삶에서 당신은 질병이나 불행이 없습니다. 그것들은 '겉으로 보이는 삶'의 그림자일 뿐이며, 참 생명이 나타나면 이 그림자들은 사라집니다.

강의 XI

나는 아직 인간에게 알려지지 않은 무수한 방식으로, 소위 물질을 조작할 수 있는 최고의 초월적인 힘을 의심할 여지 없이 확신할 수 있을 만큼 진정한 오컬트 현상을 충분히 목격했습니다. 불멸하며 파괴 불가능한 전능한 영은 우리 육체를 스스로 지으며, 그 자체로 기쁨, 건강, 완전성, 온전함, 조화, 아름다움, 힘, 그리고 사실 우리의 현재 이상이 감당할 수 있는 것보다 훨씬 더 많은 것을 그 영의 움직임에 따라 개조하고, 아름답게 하고, 정화할 수 있기를 기다리고 있습니다. 우리는 아직까지 우리 안에 드러날 영광을 흐릿하게만 알아볼 수 있지만, 그 비전조차 우리를 실현의 길로 끊임없이 나아가도록 부르기에 충분합니다.

질병에 시달리고 무거운 짐을 지는 사람들에게 그 길은 길고 힘들고 음산해 보일지 모릅니다. 그렇습니다. 그럴 수밖에 없겠지만 사랑하는 이여, 믿어주세요. 그것은 당신이 생각하는 것보다 더 짧고 쉽고 행복합니다. 세상의 환영은 당신의 눈을 가로막아 보이지 않게 하고, 발을 잡아 걸을 수 없도록 하며, 손을 움켜쥐고 움직이지 못하게 하고 있습니다.

진실이 당신을 자유롭게 하기 위해 기다리고 있는 동안, 당신은 이 환상에 의해 스스로 최면에 빠져 있습니다.

티벳에서 온 선인(仙人)이 만든 물질의 통합과 분해에 대한 놀라운 실험을 함께 목격할 수 있었으면 좋겠습니다. 그러면 인류에 대한 내 희망의 근거가 무엇인지 더 잘 이해할 수 있을 것이고, 자기 최면이 인간의 원자를 나약함과 질병의 형태로 묶고 있다는 것을 나와 함께 알게 될 것입니다. 그 주문이 풀리면, 영은 즉시 모든 것을 진실하고 건강하며 아름다운 패턴으로 형성할 것입니다.

영은 당신이 신뢰한다면 이 주문을 깨뜨릴 수 있습니다. 그리고 당신은 할 수 있습니다. 영은 사랑이며, 당신은 언제든지 사랑을 믿을 수 있기 때문입니다.

침묵 속으로 들어가 영에게 당신을 묶고 있는 이 주문을 없애 달라고 요청하십시오. 영은 지성 그 자체이며 그 요청을 들을 것입니다. 그것은 사랑 그 자체이며 당신의 호소에 응답할 것입니다.

온몸의 긴장을 풀고 이렇게 말하십시오. 나는 이제 나 자신과 현재 상태에 관한 모든 믿음을 버립니다. 나는 영의 움직임을 따릅니다. 영이 원하는 대로 나를 형성하게 하십시오.

이 방향으로의 첫 번째 노력은 그다지 중요하지 않을 수 있지만, 그것은 당신의 끈을 느슨하게 하고 지속적인 노력이 당신을 완전히 해방시킬 것이기 때문에 무언가에 도움이 될 것입니다.

누구도 당신보다 더 많은 영의 힘을 주장할 수는 없지만, 어떤 사람들은 영의 힘을 더 많이 표현할 수 있고, 그런 사람들은 정신적, 영적 진동의 손길로 당신을 돕는 역할을 할 수 있습니다.

앞에서 말씀드렸듯이, 당신은 외부로부터 영향을 받습니다.

당신은 다른 존재와 환경에 의해 영향을 받습니다. 이것은 당신 안에 있는 영을 불러내는 역할을 합니다. 영은 누구에게나 공짜로 주어지는 것이기 때문에 다른 사람들이 너희에게 주는 것이 아닙니다. 그것은 당신과 그들의 것이기도 합니다.

내가 당신 집에 가서 종을 울리면, 그것은 당신에게 나오라는 호출입니다. 당신도 내가 집에 있을 때 나를 보고 싶다면 그렇게 하십시오.

영은 항상 집에 있으며 항상 자신을 드러내고자 합니다. 그것은 항상 표현을 향해 나아가고 있습니다.

어떤 사람들은 당신을 더 살아있다고 느끼게 합니다. 왜 그런지 아십니까? 그들은 당신 안에서 영을 불러내는 미묘한 힘을 가지고 있기 때문입니다. 당신이 찾아야 할 사람들은 바로 그런 사람들입니다. 그들은 당신에게 좋은 일을 하고 건강과 행복을 향해 나아갈 수 있도록 도와줍니다. 그렇다고 해서 다른 사람에게 의지하거나 다른 사람이 여러분의 삶을 대신 살아주어야 한다는 뜻은 아닙니다. 삶은 호혜적이며 누구도 혼자 살지 않는다는 의미일 뿐입니다.

가장 많이 생각하고 말하는 사람은 일반적으로 당신을 가장 많이 도울 수 있는 사람이 아닙니다. 당신이 고통받는 것처럼 고통을 겪은 사람, 깊이 느낄 수 있는 사람, 공감할 수 있는 사람, 사랑의 유익한 흐름을 보내는 사람, 진정한 지혜의 눈으로 이 모든 고통에서 벗어나는 길을 볼 수 있는 사람이 당신에게 강력한 도움을 줄 수 있는 사람입니다.

나는 수년 동안 멘탈 힐링을 공부했지만, 아무것도 성취하지 못한 사람들로부터 많은 불평을 듣습니다. 조사해 보면, 일반적으로 그런 사람들은 본질적이지 않은 것들로 바쁘다는 것을 알 수 있습니다. 그들은 아마도 윤회가 사실인지, 영과 혼, 영과 존재, 존재와 비존재와 같은 용어를 구별하려고 노력하고 있으며, 지성이 비정상적으로 활동하는 동안 건강과 행복은 그 안에서 저조한 상태에 빠져 있습니다.

사실 마음은 이런 식으로 영원히 바쁘게 움직일 수 있으며, 더 행복한 삶을 위해 진정으로 추구하는 진리에 더 가까워지지 않을 수도 있습니다. 나는 수년 동안 새로운 삶을 조직할 중심 진리를 파악하지 못한 채 세부 사항 사이에서 방황했던 내 경험을 통해 이것을 알고 있습니다. 나는 한때 아스트랄 차원에서 창조하기 전에 아스트랄 차원의 모든 요소를 구별할 수 있어야 한다고 생각했지만, 지금은 이 모든 구별이 필수적이지 않다는 것을 알고 있습니다. 가장 중요한 것은 영과 교감하고, 영과의 하나됨을 깨닫고, 영이 당신을 통해 흐르고 의지하고 행하는 것을 느끼는 것입니다. 이것은 그 자체로 행복입니다. 이것은 그 자체로 건강입니다.

이것은 건강과 행복이 계속 증가하는 것이며, 일단 이것이 확립되면, 원한다면 분별할 수 있고, 삶의 문제를 여유롭게 연구할 수도 있습니다. 왜냐하면 당신의 마음 밑에는 당신이 쉴 수 있는 견고한 기초가 있고 지렛대를 놓을 수 있는 확실한 기반이 있기 때문입니다.

"그 최고의 힘을 브라흐마, 제우스 또는 어떤 신의 이름으로 부르든 상관없이 그 하나됨을 깨닫는 것이 오컬티즘의 첫 번째 단계입니다."

또한 오컬트주의의 길은 숨겨져 있으며, 오컬트 힘과의 동맹을 추구하는 사람에게만 드러나기 때문에, 그것은 몸과 마음의 건강을 위한 첫걸음이기도 합니다.

개인의 의지와 영의 의지가 융합되는 것도 하나의 단계입니다. 그것은 더 큰 것을 잡기 위해 더 작은 힘을 놓아주는 것입니다. 많은 이들의 실수는 그것이 박탈과 고통으로 이어진다고 가정하는 것입니다. 반대로 그것은 둘 다로부터 멀어지게 하고 평화와 건강의 충만함으로 인도합니다.

내 존재의 깊은 곳에서부터 내 뜻은 이제부터 영의 뜻과 하나가 될 것이며 다른 어떤 인도도 알지 못할 것이라고 말할 수 있는 곳에 도달한 지 몇 년이 지났습니다.

나는 즉각적인 평화를 얻었습니다. 침체도, 무행동도 아닌 평화는 안식과 조화의 근본적인 상태에 기초하고 그로부터 진행되는 활동을 의미합니다.

이제 이 강의를 마무리하겠습니다. 이 주제에 대한 마지막 말을 했다는 뜻이 아니라, 시리즈를 완성할 수 있을 만큼 충분히 말했기 때문입니다.

이 책 "이해하기 쉬운 멘탈 힐링"에서 나는 길을 자세히 지적하기보다는 당신이 얻고자 하는 것에 대한 것에 대한 지름길을 보여주기 위해 노력했습니다. 사랑하는 독자 여러분, 이 일을 함에 있어 내 마음과 영혼이 당신과 함께합니다. 그 충만함 속에서 "축복받은 삶"을 발견하고 깨닫기를 바랍니다.

저자에 대해

케이트 앳킨슨 봄은 1864년 8월 14일 영국 런던에서 태어났습니다. 그녀는 부유한 사업가인 윌리엄 봄과 그의 아내 마리 앳킨슨의 딸로, 어릴 때부터 교육을 받았습니다. 1882년 런던 대학교에서 영문학을 전공했으며, 졸업 후 교사로 일했습니다.

1886년 봄은 영적주의에 관심을 갖게 되었고, 영적주의 운동을 지지하는 여러 단체에 가입했습니다. 그녀는 또한 영적주의를 기반으로 한 치료법을 개발하기 시작했습니다.

1902년 봄은 "알기 쉬운 멘탈 힐링 Mental Healing Made Plain"이라는 책을 출판했습니다. 이 책은 생각과 감정이 신체적 건강에 미치는 영향을 설명하고, 정신적 치료법을 통해 질병을 치료할 수 있다고 주장했습니다.

봄의 책은 영적주의 운동에서 큰 인기를 얻었으며, 많은 사람들이 그녀의 치료법을 시도했습니다. 그녀는 또한 미국과 유럽을 여행하며 자신의 치료법을 전파했습니다.

봄은 1928년 1월 17일 사망했습니다. 그녀는 영적주의 운동의 중요한 인물로 여겨지며, 그녀의 치료법은 오늘날에도 여전히 사용되고 있습니다.

봄의 생애 주요 사건

1864년 8월 14일 영국 런던에서 태어남

1882년 런던 대학교에서 영문학을 전공하여 졸업

1886년 영적주의에 관심을 갖게 됨

1886년 영적주의 운동을 지지하는 여러 단체에 가입

1886년 영적주의를 기반으로 한 치료법을 개발하기 시작

1902년 "알기 쉬운 멘탈 힐링 Mental Healing Made Plain" 출판

1928년 1월 17일 사망

봄의 정신적 치료법

봄의 정신적 치료법은 생각과 감정이 신체적 건강에 미치는 영향을 강조합니다. 그녀는 질병은 부정적인 생각과 감정의 결과라고 믿었으며, 이러한 부정적인 생각과 감정을 제거함으로써 질병을 치료할 수 있다고 주장했습니다.

봄의 치료법은 다음과 같은 단계로 이루어집니다.

환자는 자신의 질병에 대해 이야기하고, 질병을 일으키는 부정적인 생각과 감정을 식별합니다.

환자는 이러한 부정적인 생각과 감정을 긍정적인 생각과 감정으로 대체합니다.

환자는 이러한 긍정적인 생각과 감정을 유지하기 위해 노력합니다.

봄의 치료법은 많은 사람들에게 효과가 있었던 것으로 알려져 있습니다. 그러나 과학적으로 증명되지는 않았으며, 일부 사람들은 단순히 위안이나 플라시보 효과 때문이라고 주장합니다.